350 exercices - Niveau débutant

CORRIGÉS

J. BADY,
I. GREAVES, A. PETETIN
Professeurs aux Cours de Civilisation
française de la Sorbonne

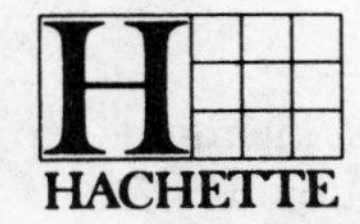

58, rue Jean-Bleuzen
92170 VANVES

Collection

Exerçons-nous

Titres parus ou à paraître

Pour chaque ouvrage, des corrigés sont également disponibles.

- 350 exercices de grammaire
  - niveau débutant
  - niveau moyen
  - niveau supérieur I
  - niveau supérieur II
- Orthographe de A à Z
  350 règles, exercices, dictées
- 350 exercices de français des affaires
- 350 exercices de vocabulaire
- 350 exercices de révision
  - niveau 1
  - niveau 2
  - niveau 3

Maquette de couverture : Version Originale.
ISBN : 2-01-016292-7
ISSN 1142-768 X

Sommaire

La phrase simple

La phrase complexe

CHAPITRE 1

La structure de la phrase
Les verbes être et avoir

1

A

1. Moi, je suis...
2. Toi, tu es...
3. Lui, il est...
4. Elle, elle est...
5. Nous, nous sommes...
6. Vous, vous êtes...
7. Eux, ils sont...
8. Elles, elles sont...
9. Lui, il est...
10. Moi, je suis...

B

1. C'est un journaliste.
2. C'est une secrétaire.
3. C'est un ingénieur.
4. Ce sont des musiciens.
5. Ce sont des Allemandes.
6. Ce sont des étrangers.
7. C'est un Anglais.
8. Ce sont des étudiants.
9. C'est un marin.
10. C'est un pilote.

C

1 Pierre est...
2. ..., nous sommes...
3. Je suis...
4. Marie est...
5. ..., vous êtes…
6. Les exercices sont...
7. Tu es...
8. Je suis...
9. Nous sommes...
10. Tu es...

D

1. Pierre n'est pas...
2. ..., nous ne sommes pas...
3. Je ne suis pas...
4. Marie n'est pas...
5. ..., vous n'êtes pas...
6. Les exercices ne sont pas...
7. Tu n'es pas...
8. Je ne suis pas...
9. Nous ne sommes pas...
10. Tu n'es pas...

2

A

1. C'est un garçon...
2. Il est blond.
3. Je suis chauffeur...
4. Ils (elles) sont...
5. Vous n'êtes pas..
6. Nous sommes...
7. Ce n'est pas une...
8. Ce sont des livres...
9. Tu es assis.
10. Vous êtes debout.

B *Par exemple :*

1. La voiture est dans la rue.
2. Le plat est sur la table.
3. Le chat est sous le lit.
4. Tu es à Paris.
5. Je suis à la maison.
6. Nous sommes à table.
7. Vous êtes à l'heure.
8. Marie est chez le boulanger.
9. Elles sont en France.
10. Ils sont en vacances.

3

A

1. J'ai...
2. Tu as...
3. Elle a...
4. ..., on a...
5. Il a...
6. Nous avons...
7. Vous avez...
8. Ils ont...
9. M. et Mme Dubois ont...
10. ..., on a...

B

1. Il y a un homme...
2. Il y a une lettre...
3. Il y a des clients...
4. Il y a des arbres...
5. Il y a trois tasses...

4

A

1. Nous avons...
2. J'ai...
3. Il (elle) a...
4. Tu as...
5. Vous avez...
6. Ils (elles) ont...
7. Il y a un oiseau...
8. Il y a des plantes...
9. J'ai...
10. Il (elle) a...

B *Par exemple :*

1. Nous avons un chien.
2. J'ai des lunettes.
3. ... ont une piscine.
4. ..., il y a des voitures.
5. Tu as une montre.
6. Vous avez un beau studio.
7. Marie a une moto.
8. ... ont les yeux bleus.
9. On a un passeport.
10. Ils ont deux enfants.

C *Par exemple :*

1. Tu as chaud.
2. Elle a froid.
3. Le bébé a faim.
4. Nicolas a soif.
5. Nous avons sommeil.
6. J'ai mal à la tête.
7. Vous avez peur.
8. Tu as l'air malade.
9. Ils ont besoin d'argent.
10. Elle a envie de chocolat.

5

A

1. Je ne suis pas... J'ai...
2. Tu n'es pas... Tu as...
3. Il est... Il a...
4. Elle est... Elle a...
5. Nous sommes... Nous avons...
6. Vous êtes... Vous avez...
7. Ils sont... Ils ont...
8. Elles sont... Elles ont...
9. Moi, je suis... J'ai...
10. Eux, ils sont... Ils ont...

B

1. La jeune fille est française. Elle a une carte d'identité.
2. Vous êtes roux. Vous avez des cheveux roux.
3. Nous sommes bruns. Nous avons des cheveux bruns.
4. Tu es blond. Tu as des cheveux blonds.
5. Je suis grand. J'ai une grande taille.
6. Tu es petit. Tu as une petite taille.
7. Il est gros. Il a un grand appétit.
8. Le garçon est maigre. Il a un petit appétit.
9. Elle est mince. Elle a vingt ans.
10. Ils sont forts. Ils ont de la force.

6

A

1. est, elle 2. est, a 3. a, sont 4. ont, Il 5. sont 6. ont 7. ont, sont 8. est 9. il, Elles 10. a, c'

B

1. ... Je suis pianiste.
2. ... Elle est médecin (infirmière).
3. ... Il est étranger.
4. ... Elle est secrétaire.
5. ... Ils sont commerçants.

C

1. ... Nous avons chaud.
2. ... Vous avez froid.
3. ... Elle a mal à la tête.
4. ... Ils ont faim.
5. ... Il a peur.

D

1. ..., c'est le (un) chat.
2. ..., c'est la (une) souris.
3. *Par exemple* : Moi, je suis petit. Je suis gros. J'ai les yeux bruns. Je suis vieux. J'ai soixante-dix ans. J'ai une sœur. Elle est professeur à Lima.

CHAPITRE 2

Les articles définis, indéfinis, partitifs

1

A

1. Le lit... la chambre.
2. Le téléphone... le bureau.
3. Les assiettes... la table.
4. Les livres... la bibliothèque.
5. Les plantes... le balcon.
6. ... le haut…
7. La hauteur, la longueur et la largeur...
8. ..., le hall est très grand.
9. ..., il y a la station : Les Halles.
10. La Hollande...

B

1. L'ascenseur... l'immeuble.
2. L'autobus... l'avenue.
3. L'ingénieur et l'architecte... l'usine.
4. L'étudiant et l'étudiante... l'université.
5. L'été... l'automne...
6. L'hôtel et l'hôpital...
7. ..., l'hiver...
8. L'homme... l'habitude...
9. L'horloge...
10. L'histoire...

C

Le samedi matin, dans la rue..., les marchands... les marchandises sur les trottoirs. La porte de la boulangerie... Le restaurant... mais le café... Le patron... l'anglais... l'espagnol. Le boucher... et l'employé de la banque... . Dans le village, l'atmosphère...

2

A

1. au marché. 2. aux dents. 3. aux fenêtres. 4. au cinéma. 5. au restaurant. 6. aux lettres. 7. aux carottes. 8. au coin de la rue. 9. au bureau. 10. aux heures.

B

1. du chat. 2. des bébés. 3. du facteur. 4. des piments. 5. du journal. 6. des grands sportifs. 7. du journaliste. 8. des routes. 9. du train. 10. des fleurs.

3

1. de l'entreprise. 2. de l'hôtel. 3. aux pieds. 4. de la montagne. 5. aux raisins. 6. du directeur. 7. au cœur. 8. des hôtesses. 9. à l'étranger. 10. des vacances. 11. à la piscine. 12. du musée. 13. à l'hôpital. 14. des Transports. 15. des saisons. 16. au congrès de Mexico. 17. au parc. 18. au centre du jardin. 19. en face de la banque. 20. au milieu des nuages.

4

1. Les motos sont dans les rues.
2. Les clients des magasins sont aux caisses.
3. Les clés ne sont pas sur les portes des chambres.
4. Les passeports des étrangers sont dans les valises.
5. Les boulangeries sont aux coins des rues.
6. Les cages des oiseaux sont sur les balcons.
7. Ce sont les adresses des amis de Didier.
8. Les bars des hôtels sont à côté des restaurants.
9. Après les visites des musées, les enfants sont fatigués.
10. Ici, il y a les jardins et les maisons des sculpteurs.

5

A

1. un garçon charmant. 2. une belle voiture.
3. des exercices difficiles.
4. un médecin... un hôpital. 5. une lettre, un journal et des publicités. 6. un musicien... un orchestre. 7. des plantes et une cage avec un oiseau. 8. une église, un château et des jardins publics. 9. un vendeur et des clients. 10. des étudiants, des touristes et des dames avec des chiens.

B

1. Ce sont des exercices.
2. Ce sont des plantes.
3. Ce sont des pianistes.
4. Ce sont des musiciennes.
5. Sur des branches d'arbre (s), voici des pigeons.
6. Il y a des barques dans les ports.
7. Il y a des piscines dans les hôtels.
8. Dans les immeubles, il y a des ascenseurs.
9. Nous avons des télévisions dans les chambres.
10. A Paris, il y a des monuments célèbres.

6

A

1. Il a une locomotive et des wagons.
2. Elle porte un maillot de bain, des sandales, des lunettes de soleil.
3. Il porte un costume gris, un parapluie noir, une petite valise et des journaux.
4. Elle porte des collants noirs, des bottes vertes et un imperméable.
5. Il a un pantalon court, une veste longue, un nez rouge et un chapeau pointu.

B *Par exemple :*

1. Il a une cabine de pilotage, des ailes et des moteurs.
2. Il a des chambres, des salles de bain et des salons.
3. Il a un uniforme, un sifflet et une casquette.
4. Il a des pelouses, des fleurs et des arbres.
5. Elle a des maisons anciennes, des avenues modernes, des cinémas, des jardins publics, etc.

7

A

1. La cerise est un fruit.
2. La France est un pays d'Europe.
3. Le football est un sport.
4. La peinture est un art.
5. L'Himalaya est une montagne.

B

1. C'est un chat, c'est le chat du voisin.
2. C'est un hôtel, c'est l'hôtel de la gare.
3. Ce sont des chaussures, ce sont les chaussures des enfants.
4. C'est une usine, c'est l'usine de M. Lacoste.
5. Ce sont des croissants, ce sont les croissants du petit déjeuner.

C

1. Marie a les yeux verts.
2. Raphaël a les mains dans les poches.
3. Grégory a les épaules larges.
4. Noémi a la taille fine.
5. Léa a les cheveux noirs.

D

... un immeuble neuf. ... une grande porte vitrée, un ascenseur, des couloirs modernes. ... la porte de l'appartement... . C'est un "trois pièces". ... une entrée, un salon, une chambre, une salle de bains et une cuisine. L'appartement a des fenêtres très larges et une belle vue. ... des oiseaux dans les arbres. La nuit, le silence... et le calme...

8

A

1. Il y a du champagne. 2. de l'huile. 3. du lait. 4. des épinards. 5. de la confiture. 6. de l'eau. 7. du café. 8. de la farine. 9. du jambon. 10. de l'essence.

B

1. du vin. 2. de la musique. 3. des cigarettes. 4. du sucre. 5. de la danse. 6. du chocolat. 7. du bruit. 8. de la patience. 9. de la chance. 10. du fromage.

9

A

1. beaucoup d'amis. 2. peu de livres. 3. trop de problèmes. 4. assez d'argent. 5. un peu de sel. 6. beaucoup d'hôtels. 7. un peu de monnaie. 8. assez de travail. 9. peu d'idées. 10. trop de jouets.

B

A. Un kilo d'abricots (ou de sucre).
B. Deux litres de lait (ou de vin).
C. Quatre bouteilles de vin (ou de lait).
D. Une boîte d'allumettes.
E. Deux morceaux de sucre.

10

A

1. un ticket de métro. 2. un agent de police. 3. un billet d'avion. 4. un numéro de téléphone. 5. une assiette de crudités. 6. une carte de séjour. 7. un livre de science-fiction. 8. un film d'horreur. 9. une pièce de théâtre. 10. un homme d'affaires.

B

1. Ce sont des tickets de métro. 2. Ce sont des agents de police. 3. Ce sont des billets d'avion. 4. Ce sont des numéros de téléphone. 5. Ce sont des assiettes de crudités. 6. Ce sont des cartes de séjour. 7. Ce sont des livres de science-fiction. 8. Ce sont des films d'horreur. 9. Ce sont des pièces de théâtre. 10. Ce sont des hommes d'affaires.

C

A. Un garçon de café.
B. Une chambre d'hôtel.
C. Un carnet de chèques.
D. Une carte d'identité.
E. Un billet de banque.

D

A. Un sac à dos.
B. Une cuiller à café.
C. Des chaussures à talon.
D. Une chemise à carreaux.
E. Une brosse à dents.

11

A

1. du pain. 2. de la neige. 3. des œufs. 4. du travail. 5. des blondes ou des brunes. 6. des légumes. 7. du caviar, de la vodka, de l'eau. 8. de la gymnastique. 9. du brouillard. 10. du vent et du soleil.

B

1. ... beaucoup de soleil et un peu d'air frais.
2. ... trop d'orages ; ... beaucoup de pluie, beaucoup d'éclairs et un peu de tonnerre.
3. ... peu de nuages, un peu de vent et beaucoup d'étoiles.

12

A

1. J'ai un problème.
2. C'est un exercice difficile.
3. Il y a un chien dans la rue.
4. C'est le premier melon.
5. Voici le dernier modèle.
6. Tu as un ami chinois.
7. Où est la clé de la chambre ?
8. As-tu une bouteille de lait ?
9. C'est le héros du film.
10. L'œuvre de l'artiste est dans le musée.

B

1. Ce sont les adjoints des directeurs.
2. Ce sont les concierges des immeubles.
3. Ce sont des tartines de pain avec du beurre.
4. Sur les assiettes, il y a des tranches de rôti de porc.
5. Ce sont des photos des films.
6. Où sont les sorties des grands magasins ?
7. Avez-vous des cigarettes ? Oui, des blondes.
8. Ce sont les valises et les sacs de Charlotte.
9. Voilà les adresses des hôtels.
10. Dans les salades mixtes, il y a des tomates, des œufs durs et des avocats.

13

A

... l'aéroport d'Orly. ... la sortie des voyageurs ? ... l'heure, la foule, les affiches publicitaires. ... un grand comptoir avec des plantes vertes et des hôtesses. ... les guichets d'Air France et la douane.
Les gens ... du bruit. Sur les pistes d'atterrissage, ... des avions et des camions.
... le petit ami ... une valise et un bouquet de fleurs.
"Merci pour les fleurs..."

B

...à la boucherie ... de la viande, puis à la charcuterie ... du jambon, ... à la boulangerie ... du pain. ... à la banque ... de l'argent.
... un temps ... de la pluie et du vent. ... un parapluie ... la rue.
... la fille de la voisine ... la porte du garage. ... un manteau ..., des chaussures ... un grand chapeau blanc. ... la porte ...! ... le chapeau de la jeune femme ... une flaque d'eau. ... les mains ... les pieds mouillés.

C

Sophie a des amis à dîner. Elle a des courses..., elle a des légumes, des fruits, du fromage, et du vin... Elle a l'appartement..., elle a la table..., elle a le repas... . A neuf heures, elle est dans le salon. Il y a de la musique et des fleurs. ... il y a des apéritifs, mais les amis de Sophie ne sont pas là!

CHAPITRE 3

Les noms

1

A

1. Une amie. 2. Une étudiante. 3. Une avocate. 4. Une marchande. 5. Une employée. 6. Une Française. 7. Une Anglaise. 8. Une Américaine. 9. Une Espagnole. 10. Une Chinoise.

B

1. Une cuisinière. 2. Une couturière. 3. Une écolière. 4. Une romancière. 5. Une étrangère.

C

1. Une musicienne. 2. Une Coréenne. 3. Une Parisienne. 4. Une championne. 5. Une chatte.

D

1. Une princesse. 2. Une tigresse. 3. Une ânesse. 4. Une traîtresse. 5. Une maîtresse.

E

1. Une coiffeuse. 2. Une danseuse. 3. Une chanteuse. 4. Une acheteuse. 5. Une voleuse. 6. Une nageuse. 7. Une plongeuse. 8. Une voyageuse. 9. Une dormeuse. 10. Une menteuse.

F

1. Une actrice. 2. Une spectatrice. 3. Une auditrice. 4. Une institutrice. 5. Une électrice. 6. Une directrice. 7. Une présentatrice. 8. Une conductrice. 9. Une collaboratrice. 10. Une traductrice.

G

1. Une artiste. 2. Une journaliste. 3. Une locataire. 4. Une concierge. 5. Une malade.

2

1. Une femme. 2. Une fille. 3. Une fille. 4. Une sœur. 5. Une mère. 6. Une tante. 7. Une femme. 8. Une nièce. 9. Une reine. 10. Une héroïne.

3

1. Une tante. Un oncle. 2. Une actrice. Un acteur. 3. Un coiffeur. Une coiffeuse. 4. Une femme. Un homme. 5. Un boulanger. Une boulangère. 6. Une Chinoise. Un Chinois. 7. Un poète. Un poète (une poétesse). 8. Une hôtesse. Un hôte. 9. Un menteur. Une menteuse. 10. Une écolière. Un écolier. 11. Un comédien. Une comédienne. 12. Une vendeuse. Un vendeur. 13. Un malade. Une malade. 14. Une reine. Un roi. 15. Un mari. Une femme. 16. Une fille. Un garçon (un fils). 17. Un couturier. Une couturière. 18. Une chatte. Un chat. 19. Un journaliste. Une journaliste. 20. Une spectatrice. Un spectateur.

4

A

1. Des hommes. 2. Des femmes. 3. Des lits. 4. Des coussins. 5. Des fauteuils. 6. Des détails. 7. Des chandails. 8. Des fous. 9. Des pneus. 10. Des festivals.

B

1. Des cheveux. 2. Des jeux. 3. Des neveux. 4. Des feux. 5. Des adieux. 6. Des bijoux. 7. Des choux. 8. Des genoux. 9. Des chapeaux. 10. Des bureaux. 11. Des morceaux. 12. Des gâteaux. 13. Des drapeaux. 14. Des couteaux. 15. Des plateaux. 16. Des manteaux. 17. Des oiseaux. 18. Des châteaux. 19. Des carreaux. 20. Des peaux.

C

1. Des chevaux. 2. Des hôpitaux. 3. Des journaux. 4. Des maux (de tête). 5. Des vitraux.

D

1. Des poids. 2. Des tapis. 3. Des dos. 4. Des bras. 5. Des mois. 6. Des pays. 7. Des cours. 8. Des héros. 9. Des fils. 10. Des Polonais. 11. Des toux. 12. Des voix. 13. Des noix. 14. Des croix. 15. Des prix.

E

1. Des yeux. 2. Des jeunes gens. 3. Messieurs. 4. Mesdames. 5. Mesdemoiselles.

5

A

1. Vous avez des chapeaux.
2. Nous avons des écharpes.
3. Ce sont des pianistes.
4. Ce sont des bouteilles.
5. Ils ont des moustaches.

B

1. Ce sont les nièces de Mme Rivolta.
2. Ce sont les neveux de Mme Rolvita.
3. Les oiseaux ne sont pas dans les cages.
4. Ce sont les fils de Mme Trivola.
5. Ce sont les filles de Mme Travoli.

C

1. Elles ont des chemisiers.
2. Nous avons des fréres et des sœurs.
3. Les acteurs ont des rôles.
4. Ce sont des bijoux.
5. Ce sont des vêtements.
6. Les écureuils sont dans les bois.
7. Les chattes ne sont pas sur les lits.
8. Les chiens sont sous les canapés.
9. Les concierges sont dans les immeubles.
10. Les pharmaciens sont dans les pharmacies.

D

1. Il y a des téléphones sur les bureaux.
2. Les sacs ne sont pas aux jeunes filles.
3. Il y a des clientes dans les magasins.
4. Les caissières sont aux caisses.
5. Dans les gares, il y a des quais, des trains, des horloges.
6. Les malades sont dans les hôpitaux.
7. Les oranges sont des fruits.
8. Ce sont les chevaux des cavaliers.
9. Il y a des boutiques sur les boulevards.
10. Les poireaux sont des légumes.

6

A

1. Ce sont un vendeur et une vendeuse.
2. C'est la clef de la voiture.
3. Ce n'est pas une étrangère.
4. Voici un fruit et une fleur.
5. Voici le traducteur du livre.
6. C'est un musicien. Il est dans un orchestre.
7. J'ai un ami. Il a un problème.
8. Tu as un bijou. J'ai un tableau.
9. L'oiseau est sur la branche de l'arbre.
10. C'est le héros du roman.

B

1. C'est l'élève de l'école.
2. L'éléphant est un animal.
3. Ce n'est pas un livre d'histoire.
4. Voici le locataire de l'appartement.
5. Le jouet est à l'enfant.
6. C'est une cliente du magasin.
7. Il y a un oiseau dans la cage.
8. C'est le directeur de l'entreprise.
9. L'acteur a un rôle dans le film.
10. A la fenêtre de l'église, il y a un vitrail.

CHAPITRE 4

Les adjectifs qualificatifs

1

A

1. Elle est jolie. 2. vraie. 3. gaie. 4. connue. 5. déçue. 6. mariée. 7. divorcée. 8. enrhumée et fatiguée. 9. grippée et couchée. 10. passionnée et révoltée.

B

1. Ils sont jolis. Elles sont jolies. 2. vrais. vraies. 3. gais. gaies. 4. connus. connues. 5. déçus. déçues. 6. mariés. mariées. 7. divorcés. divorcées. 8. enrhumés et fatigués. enrhumées et fatiguées. 9. grippés et couchés. grippées et couchées. 10. passionnés et révoltés. passionnées et révoltées.

2

A

1. C'est un garçon brun, c'est une fille brune. 2. voisin, voisine. 3. lointain, lointaine. 4. prochain, prochaine. 5. plein, pleine.

B

1. Ce sont des garçons bruns, ce sont des filles brunes. 2. voisins, voisines. 3. lointains, lointaines. 4. prochains, prochaines. 5. pleins, pleines.

C

1. Le champion est bon, la championne est bonne. 2. mignon, mignonne. 3. ancien, ancienne. 4. moyen, moyenne. 5. italien. C'est une comédienne italienne.

D

1. Les champions sont bons, les championnes sont bonnes.
2. Les bébés sont mignons, les petites filles sont mignonnes.
3. Les tableaux sont anciens, les horloges sont anciennes.
4. Les résultats sont moyens, les notes sont moyennes.
5. Ce sont des comédiens italiens, ce sont des comédiennes italiennes.

3

A

1. Le métal est dur. La pierre est dure. 2. clair, claire. 3. noir, noire. 4. le meilleur, la meilleure présentatrice. 5. seul, seule.

B

1. Les métaux sont durs, les pierres sont dures.
2. Les appartements sont clairs, les pièces sont claires.
3. Les chapeaux sont noirs, les écharpes sont noires.
4. Ce sont les meilleurs présentateurs, ce sont les meilleures présentatrices.5. Les jeunes gens sont seuls à Paris, les jeunes filles sont seules aussi.

4

A

1. Le gâteau est mauvais, la tarte est mauvaise. 2. français, française. 3. gris, grise. 4. suédois, suédoise. 5. assis, assise.

B

1. Les gâteaux sont mauvais, les tartes sont mauvaises.
2. Les croissants sont français, les baguettes sont françaises.
3. Les camions sont gris, les voitures sont grises.
4. Ils sont suédois, elles sont suédoises.
5. Les hommes sont assis sur les canapés, les femmes sont assises aussi.

C

1. Le plafond est bas, basse. 2. gros, grosse. 3. épais, épaisse.

D

1. Les plafons sont bas, les maisons sont basses.
2. Les bœufs sont gros, les vaches sont grosses.
3. Les murs sont épais, les vitres sont épaisses.

5

A

1. La marchande est grande et blonde.
2. La saison est chaude ou froide.
3. La coiffeuse est bavarde et laide.
4. La seconde penderie est profonde.
5. La roue du camion est ronde et lourde.

B

1. Les marchands sont grands et blonds. Les marchandes sont grandes et blondes.
2. Les vents sont chauds ou froids. Les saisons sont chaudes ou froides.
3. Les coiffeurs sont bavards et laids. Les coiffeuses sont bavardes et laides.
4. Les seconds placards sont profonds. Les secondes penderies sont profondes.
5. Les pneus sont ronds et lourds. Les roues des camions sont rondes et lourdes.

6

A

1. L'étudiante est petite et forte.
2. Elle est verte et plate.
3. La porte est haute et étroite.
4. La jeune fille est amusante et séduisante.
5. La femme est prudente ou imprudente.
6. L'adolescente est adroite ou maladroite.
7. La chienne est méchante et violente.
8. L'actrice est intéressante et élégante.
9. La voyageuse est contente et souriante.
10. La solution du problème est parfaite, excellente.

B

1. Les étudiants sont petits et forts. Les étudiantes sont petites et fortes.
2. Ils sont verts et plats. Elles sont vertes et plates.
3. Les murs sont hauts et étroits. Les portes sont hautes et étroites.
4. Les jeunes gens sont amusants et séduisants. Les jeunes filles sont amusantes et séduisantes.
5. Les hommes sont prudents ou imprudents. Les femmes sont prudentes ou imprudentes.
6. Les adolescents sont adroits ou maladroits. Les adolescentes sont adroites ou maladroites.
7. Les chiens sont méchants et violents. Les chiennes sont méchantes et violentes.
8. Les acteurs sont intéressants et élégants. Les actrices sont intéressantes et élégantes.
9. Les voyageurs sont contents et souriants. Les voyageuses sont contentes et souriantes.
10. Les résultats sont parfaits, excellents. Les solutions des problèmes sont parfaites, excellentes.

7

A

1. C'est la phrase principale. 2. originale. 3. spéciale. 4. amicale et sentimentale. 5. nationale.

B

1. Ce sont les verbes principaux. Ce sont les phrases principales.
2. Ce sont des hommes originaux. Ce sont des femmes originales.
3. Ce sont des mots spéciaux. Ce sont des prononciations spéciales.
4. Ce sont des garçons amicaux et sentimentaux. Ce sont des filles amicales et sentimentales.
5. Ce sont des événements nationaux. Ce sont des élections nationales.

8

A

1. C'est une revue mensuelle.
2. C'est une réunion annuelle.
3. C'est une catastrophe naturelle.
4. C'est une solution habituelle.
5. C'est une difficulté réelle.

B

1. Ce sont des journaux mensuels. Ce sont des revues mensuelles.
2. Ce sont des congrès annuels. Ce sont des réunions annuelles.
3. Ce sont des produits naturels. Ce sont des catastrophes naturelles.
4. Ce sont des faits habituels. Ce sont des solutions habituelles.
5. Ce sont des problèmes réels. Ce sont des difficultés réelles.

9

A

1. C'est une baguette entière.
2. C'est la première écolière.
3. C'est la dernière possibilité.
4. C'est une vie régulière.
5. C'est une couturière trop chère.

B

1. Ce sont des pains entiers. Ce sont des baguettes entières.
2. Ce sont les premiers écoliers. Ce sont les premières écolières.
3. Ce sont les derniers métros. Ce sont les dernières possibilités.
4. Ce sont des rythmes réguliers. Ce sont des vies régulières.
5. Ce sont des couturiers trop chers. Ce sont des couturières trop chères.

10

A

1. C'est un album complet, c'est une collection complète. 2. secret, secrète. 3. indiscret, indiscrète. 4. inquiet, inquiète. 5. incomplet, incomplète.

B

1. Ce sont des albums complets, ce sont des collections complètes.
2. Ce sont des dossiers secrets, ce sont des missions secrètes.

3. Ce sont des voisins indiscrets, ce sont des voisines indiscrètes.
4. Les pères sont inquiets, les mères sont inquiètes.
5. Les articles des journaux sont incomplets, les informations sont incomplètes.

11

A

1. Voici une femme amoureuse et heureuse.
2. pluvieuse et affreuse. 3. furieuse, dangereuse.
4. courageuse ou peureuse ? 5. sérieuse, ennuyeuse.
6. mystérieuse. 7. merveilleuse. 8. délicieuse.
9. joyeuse. 10. jalouse.

B

1. Voici des hommes amoureux et heureux. Voici des femmes amoureuses et heureuses.
2. Les matins sont pluvieux et affreux. Les journées sont pluvieuses et affreuses.
3. Quand ils sont furieux, ils sont dangereux. Quand elles sont furieuses, elles sont dangereuses.
4. Sont-ils courageux ou peureux ? Sont-elles courageuses ou peureuses ?
5. Ce sont des films sérieux, très ennuyeux. Ce sont des histoires sérieuses, très ennuyeuses.
6. Ce sont des sujets mystérieux. Ce sont des personnes mystérieuses.
7. Les acteurs des films sont merveilleux. Les actrices des films sont merveilleuses.
8. Ce sont des desserts délicieux. Ce sont des salades délicieuses.
9. Ce sont des bébés joyeux. Ce sont des enfants joyeuses.
10. Ce sont des maris jaloux. Ce sont des femmes jalouses.

12

A

1. La serviette est blanche. 2. fraîche. 3. franche.

B

1. Les draps sont blancs. Les serviettes sont blanches.
2. Les matins sont frais. Les soirées sont fraîches.
3. Les garçons sont francs. Les filles sont franches.

13

A

1. Une jeune fille sportive. 2. une réaction positive.
3. une adolescente vive, parfois agressive. 4. une écharpe neuve. 5. brève.

B

1. Voilà des jeunes gens sportifs et des jeunes filles sportives.
2. Voilà des résultats positifs et des réactions positives.
3. Ce sont des adolescents vifs, parfois agressifs ; ce sont des adolescentes vives, parfois agressives.
4. Ils ont des manteaux neufs et des écharpes neuves.
5. Ce sont des textes brefs et des phrases brèves.

14

1. Les voitures sont solides et rapides.
2. Les drapeaux sont roses et jaunes.
3. La pianiste et la flûtiste sont jeunes, minces et timides.
4. La gardienne est célibataire et libre.
5. Les lits sont larges et confortables.
6. Les chambres sont vides et tristes.
7. Les chaussettes de Marc sont sales ou propres.
8. Ce sont des renseignements simples, pratiques et utiles.
9. La chanteuse est drôle, superbe et célèbre.
10. Ce sont des choses fragiles.

15

A

1. Il a un regard doux, elle a une voix douce. 2. roux, rousse. 3. faux, fausse. 4. muet, muette. 5. gentil, gentille. 6. menteur, menteuse. 7. public, publique. 8. turc, turque. 9. grec, grecque. 10. favori, favorite. 11. fou, folle. 12. long, longue.

B

1. Ils ont des regards doux, elles ont des voix douces.
2. Les jeunes gens sont roux, les jeunes filles sont rousses.
3. Les billets sont faux, les pièces de monnaie sont fausses.
4. Ce sont des films muets, ce sont des enfants muettes.
5. Ce sont des amis très gentils, ce sont des amies très gentilles.
6. Ce sont des garçons menteurs, ce sont des filles menteuses.
7. Ce sont des jardins publics, ce sont des places publiques.
8. Ce sont des mots turcs, ce sont des expressions turques.
9. Ce sont des ports grecs, ce sont des îles grecques.
10. Ce sont les plats favoris de Jules et les recettes favorites de Julie.
11. Ils sont fous, elles sont folles.
12. Les films sont longs, les émissions sont longues.

C

1. C'est un nouveau film, c'est un nouvel acteur, c'est une nouvelle actrice, les décors sont nouveaux, les affiches sont nouvelles.
2. C'est un vieux quartier, c'est un vieil immeuble, la ville est vieille, les habitants sont vieux, les maisons sont vieilles.

16

A

1. Ce sont de grands jardins.
2. Ce sont de beaux bébés.
3. Ce sont de petites maisons.
4. Ce ne sont pas de très bons films.
5. Ce sont de nouveaux voisins. Par exemple
6. Ce sont de jolies filles.
7. Ce sont de longues histoires.
8. Ce sont de vieilles habitudes.
9. Ce sont d'autres problèmes.
10. Ce sont d'autres solutions.

B

1. Ce ne sont pas des pièces confortables.
2. Ce sont des femmes extraordinaires.
3. Ce sont des plantes vertes.
4. Ce sont des amies très fidèles.
5. Ce sont des fleurs rouges magnifiques.

17

1. C'est un homme politique malhonnête.
2. antipathique. 3. désagréable. 4. difficile.
5. mécontent. 6. inférieure. 7. anormale. 8. inégal.
9. imprudent. 10. indirecte. 11. pauvre.
12. pessimiste. 13. fausse. 14. gentil. 15. impossible.

18

A

1. *Par exemple* : Elle est grande, intelligente, discrète, gourmande et rêveuse.
2. Il est coléreux, cruel et brutal mais parfois franc et comique.
3. Il est copieux, délicieux et gratuit.
4. Ils sont longs, raides et blonds.
5. Ils sont petits, verts (bleus, noirs, etc.).

B

1. *Par exemple* : Elle est mince et élégante.
2. Je suis calme, patient, réservé et sentimental.
3. Il est grand, roux, très mince et élégant, avec des yeux bruns, un gentil sourire, et un bon caractère.
4. Elle est chère.
5. Elle est agréable.

19

A

A. blond comme les blés. B. belle comme le jour. C. rouge comme une tomate. D. laid comme un pou. E. simple comme bonjour. F. gai comme un pinson. G. triste comme une porte de prison. H. ennuyeux comme la pluie. I. fraîche comme une fleur. J. léger comme une plume. K. doux comme un agneau. L. fragile comme du verre. M. long comme un jour sans pain. N. vieux comme le monde. O. malade comme un chien.

CHAPITRE 5

Le présent de l'indicatif

1

A
Je parle, tu chantes, elle danse, nous étudions, vous jouez, ils écoutent.

B
1. parlent et regardent. 2. Tu chantes... je danse. 3. Nicolas aime... et déteste... 4. Nous étudions... nous travaillons... 5. La petite fille joue... 6. Vous écoutez... elles discutent.

2

A
Je possède, tu possèdes, il possède, nous possédons, vous possédez, ils possèdent.
Je pèse, tu pèses, il pèse, nous pesons, vous pesez, ils pèsent.

B
1. Ils possèdent... nous possédons... 2. Tu ne pèses pas... 3. Vous espérez... j'espère... 4. La pluie ne pénètre pas... 5. Nous pénétrons... 6. Le policier lève... 7. Je promène... vous promenez...

3

A
J'appelle, tu appelles, il appelle, nous appelons, vous appelez, ils appellent.
Je jette, tu jettes, il jette, nous jetons, vous jetez, ils jettent.

B
Je gèle, tu gèles, il gèle, nous gelons, vous gelez, ils gèlent.
J'achète, tu achètes, il achète, nous achetons, vous achetez, ils achètent.

C
1. Vous appelez... j'appelle...
2. Elle jette... vous jetez...
3. Je gèle, vous gelez...
4. Ils achètent... nous achetons..
5. Tu pèles... nous pelons...

4

A
Je commence, tu commences, il commence, nous commençons, vous commencez, ils commencent.
Je mange, tu manges, il mange, nous mangeons, vous mangez, ils mangent.

B
1. Il annonce. 2. Nous annonçons. 3. Nous plaçons. 4. Les enfants lancent. 5. Nous lançons. 6. Je commence. 7. Nous ne recommençons pas. 8. Vous prononcez. 9. La voiture n'avance pas. 10. Nous avançons.

C
1. Nous plongeons... nous nageons. 2. Vous mangez... nous mangeons. 3. Les enfants ne rangent pas. 4. Nous changeons. 5. Vous déménagez. 6. Le douanier interroge. 7. La musique dérange. 8. J'exige. 9. Nous voyageons. 10. Nous partageons.

5

A
Je paie (ou paye), tu paies (ou payes), il paie (ou paye), nous payons, vous payez, ils paient (ou payent).
J'emploie, tu emploies, il emploie, nous employons, vous employez, ils emploient.
J'essuie, tu essuies, il essuie, nous essuyons, vous essuyez, ils essuient.

B
1. J'essuie. 2. Vous nettoyez. 3. Le chien aboie. 4. J'essaie. 5. Vous essayez. 6. Tu envoies. 7. La société emploie. 8. Tu balaies. 9. Nous payons. 10. Le film n'ennuie pas.

6

A
1. Nous mangeons. 2. Ils (elles) n'essuient pas. 3. Vous parlez. 4. Tu aimes. 5. Je (il ou elle) préfère. 6. Ils (elles) pénètrent. 7. Nous rangeons. 8. Tu ne voyages pas. 9. Nous lançons. 10. Vous essayez. 11. Il (elle, j') appelle. 12. Vous jetez. 13.Il(elle, je)pèse.14. Nous commençons. 15. Ils (elles) jouent. 16. Je (il, elle) promène. 17. Tu pleures. 18. Vous étudiez. 19. Le chien aboie. 20. Ils (elles) envoient.

B

Par exemple : Nous pénétrons..., nous avançons..., nous interrogeons..., nous écoutons..., nous commandons..., nous essayons... Le serveur apporte... Nous commençons..., nous mangeons..., nous payons l'addition.

7

A

Je finis, tu finis, il finit, nous finissons, vous finissez, ils finissent.

B

1. Je grossis. 2. Tu ne grandis pas. 3. Elle maigrit. 4. Nous vieillissons. 5. Vous rougissez. 6. Les couleurs pâlissent. 7. Les cheveux blanchissent. 8. Le fruit mûrit. 9. On salit. 10. Les feuilles jaunissent.

C

1. L'architecte démolit, bâtit.
2. Je nourris, je remplis.
3. Les enfants obéissent, désobéissent.
4. Vous réunissez.
5. L'avion atterrit.
6. Nous réfléchissons, nous choisissons.

8

A

1. Nous choisissons.
2. Les étudiants réfléchissent.
3. Vous remplissez.
4. Les petites filles réussissent.
5. Nous finissons.
6. Les autobus ralentissent.
7. Les médecins guérissent.
8. Les spectateurs applaudissent.
9. Les arbres fleurissent.
10. Vous ne punissez pas.

B

Les cheveux... blanchissent, elle grossit, elle vieillit! Alors, elle réfléchit et elle agit : elle réussit..., elle choisit... et elle mincit.
..., elle maigrit... et elle rajeunit...

9

A

Je sors, tu sors, il sort, nous sortons, vous sortez, ils sortent.
J'ouvre, tu ouvres, il ouvre, nous ouvrons, vous ouvrez, ils ouvrent.

B

1. Vous sortez...
2. Tu sers...
3. Ils partent...
4. Je ne dors pas bien.
5. Il court...

C

1. Tu ouvres...
2. Je souffre...
3. Nous offrons...
4. Il cueille...
5. Elles découvrent...

10

A

Je lis, tu lis, il lit, nous lisons, vous lisez, ils lisent.
Je conduis, tu conduis, il conduit, nous conduisons, vous conduisez, ils conduisent.
Je vis, tu vis, il vit, nous vivons, vous vivez, ils vivent.

B

1. Vous ne lisez pas...
2. Ils élisent...
3. Tu prédis...
4. On interdit...
5. Il contredit...

C

1. Je traduis...
2. Ils construisent...
3. Nous détruisons...
4. Tu séduis...
5. Il conduit...

D

1. Nous vivons...
2. Je suis...
3. Tu poursuis...
4. Ils survivent...
5. Elle ne vit pas...

11

A

Je réponds, tu réponds, il répond, nous répondons, vous répondez, ils répondent.
Je perds, tu perds, il perd, nous perdons, vous perdez, ils perdent.

B

1. Je confonds. 2. Nous défendons. 3. Le chien mord. 4. Nous perdons. 5. Vous rendez. 6. Ils vendent. 7. Je descends. 8. Tu attends. 9. Il entend. 10. Tu dépends.

12

A

Je crains, tu crains, il craint, nous craignons, vous craignez, ils craignent. Je peins, tu peins, il peint, nous peignons, vous peignez, ils peignent.

B

1. Je ne crains pas.
2. Tu peins.
3. Il rejoint.
4. Nous plaignons.
5. Vous éteignez.
6. Ils atteignent.
7. Nous rejoignons.
8. Je teins.
9. Il éteint.
10. Vous craignez.

13

A

Je mets, tu mets, il met, nous mettons, vous mettez, ils mettent.
Je connais, tu connais, il connaît, nous connaissons, vous connaissez, ils connaissent.

B

1. Je mets.
2. Ils permettent.
3. Le cœur bat.
4. Elle combat.
5. Nous promettons.
6. Vous transmettez.
7. Les bébés naissent.
8. Tu parais.
9. Il disparaît.
10. Tu ne connais pas.

14

1. J'éteins, je réponds, j'ouvre, je suis.
2. Tu vends, tu dors, tu crains, tu interdis.
3. Il peint, il dépend, il poursuit, il mord.
4. Nous servons, nous rendons, nous souffrons, nous conduisons.
5. Vous perdez, vous attendez, vous courez, vous mettez.
6. Ils atteignent, ils découvrent, ils sortent, ils apparaissent.
7. Tu offres, tu pars, tu confonds, tu bats.
8. Elle descend, elle vit, elle reconnaît, elle sent.
9. Nous lisons, nous peignons, nous entendons, nous connaissons.
10. Elles défendent, elles détruisent, elles mettent, elles survivent.

15

1. Il craint.
2. Ils peignent.
3. Tu rejoins.
4. Vous confondez.
5. Tu sens.
6. L'équipe perd.
7. J'attends.
8. La caissière rend.
9. Il ouvre.
10. Vous découvrez.
11. L'interprète traduit.
12. Le feu détruit.
13. La police poursuit.
14. Tu mets.
15. Je ne connais pas.
16. Tu lis.
17. Je réponds.
18. Tu offres.
19. Le chat disparaît.
20. L'alpiniste vit.

16

A

1. Je vais, il va, nous allons, ils vont.
2. Tu fais, nous faisons, vous faites, ils font.
3. Vous dites, il dit, nous disons, elles disent.
4. Je viens, vous venez, il vient, ils viennent.
5. Je prends, nous prenons, ils prennent, il prend.
6. Tu tiens, nous tenons, ils tiennent, elle tient.
7. Tu reviens, nous revenons, elles reviennent, je reviens.
8. J'écris, vous écrivez, ils écrivent, elle écrit.
9. Tu ris, elles rient, il rit, nous rions.
10. J'appartiens, vous appartenez, il appartient, ils appartiennent.

B

1. Je veux, nous voulons, ils veulent, elle veut.
2. Tu sais, vous savez, elles savent, il sait.
3. Je peux, ils peuvent, nous pouvons, elle peut.
4. Tu dois, ils doivent, vous devez, il doit.
5. Il voit, nous voyons, ils voient, je vois.
6. Je reçois, elle reçoit, ils reçoivent, nous recevons.
7. Tu crois, nous croyons, je crois, ils croient.
8. Il faut, il pleut.
9. Tu plais, il plaît, ils plaisent, vous plaisez.
10. Je bois, il boit, nous buvons, elles boivent.

C

1. Ils veulent partir, nous voulons rester.
2. Elles savent cela, nous ne savons pas cela.
3. Vous pouvez répondre, elles ne peuvent pas.
4. Nous devons rentrer, vous devez sortir.
5. Elles reçoivent des paquets, vous recevez des lettres.
6. Est-ce que vous croyez ces histoires ?
7. Elles plaisent beaucoup à Didier.
8. Nous buvons du vin, elles boivent de l'eau.
9. Vous dites oui, ils disent non
10. Elles prennent l'autobus, vous prenez le métro.
11. Ils reviennent... ; est-ce que vous revenez aussi ?
12. Nous faisons du yoga, vous faites du judo.
13. Ils vont à la piscine, nous allons au stade.
14. Est-ce que ces tableaux appartiennent aux musées ?
15. Vous n'écrivez pas souvent, ils écrivent beaucoup.

1. Elle est... ; elle souffre... 2. Nous descendons... 3. ... j'ai..., j'éteins..., et je dors. 4. Vous regardez... : il sourit... 5. ..., il fait... et il pleut... 6. Il vient... 7. Nous allons... 8. Il écrit... 9. ..., il dort. 10. Vous buvez... 11. Tu mets... 12. Vous prenez... 13. Je conduis... 14. ... nous faisons... 15. ... tu pars... 16. Je lis... 17. ... font... 18. ... sont... 19. ... coule... 20. ... ne fait pas...

17

1. Elle est… ; elle souffre… 2. Nous descendons… 3. … j'ai…, j'éteins…, et je dors. 4. Vous regardez… : il sourit… 5. …, il fait… et il pleut… 6. il vient… 7. Nous allons… 8. Il écrit… 9. …, il dort. 10. Vous buvez… 11. Tu mets… 12. Vous prenez… 13. je conduis… 14. … nous faisons… 15. … tu pars… 16. Je lis… 17. … font… 18. … sont… 19. … coule… 20. … ne fais pas…

18

A

Nous promenons... . Nous partons... . Nous mettons... car nous craignons... . Nous appelons..., il vient... et il aboie, il est ... . Nous éteignons..., nous sortons et nous fermons... . Nous descendons..., nous courons..., le chien suit. Nous achetons... et nous pénétrons...
Un chemin conduit... . Nous allons... . Nous plongeons..., elle ne paraît pas... . Nous lançons... et nous jetons... . Il lève..., il veut... : il vient, ouvre..., prend... et repart... ; nous applaudissons et nous rions.
Nous poursuivons... ; nous faisons..., nous laissons courir... . Nous pouvons regarder... ; nous finissons... et nous revenons...

B

Tu promènes... . Tu pars... . Tu mets... car tu crains... . Tu appelles..., il vient... et il aboie, il est... . Tu éteins..., tu sors et tu fermes... . Tu descends..., tu cours..., le chien suit. Tu achètes... et tu pénètres...
Un chemin conduit... . Tu vas... . Tu plonges..., elle ne paraît pas... . Tu lances... et tu jettes... . Il lève..., il veut... : il vient, ouvre..., prend... et repart... ; tu applaudis et tu ris.
Tu poursuis... ; tu fais..., tu laisses courir... . Tu peux regarder... ; tu finis... et tu reviens...

19

A

J'ai... . Je suis... . Je vais... . Je brunis... . Je plonge, je nage, je fais... . Je fume..., je bois..., je mange... . J'aime... . Je désire rencontrer... . Je veux.... J'espère ... . J'attends...

B

J'ai… Je suis… Je cherche… et je souhaite… Je déteste… mais je possède… Je peux vivre… je parle… Je sais bien faire…et je reçois… Je ris… et je plais…

C

Je suis... . Je parais... mais j'ai... . Je comprends et je traduis bien... . Je voyage... et j'ai... . Je veux... . Je connais bien... . Je sais... . Je peux prendre... . Je réfléchis et je décide vite. J'envoie... . Je réponds...

CHAPITRE 6

Verbes et expressions suivis de l'infinitif

1

1. va ouvrir.
2. vient de fermer.
3. veulent écouter.
4. n'ont pas envie de danser.
5. savez faire.6. partons dîner.
7. commences à parler.
8. finit de lire.
9. fait rire.
10. laisse partir.
11. peut contenir.
12. doivent aller.
13. aime recevoir.
14. as peur de déranger.
15. déteste prendre.

2

A

1. Tu vas. 2. Ils vont. 3. Vous allez. 4. Nous allons. 5. Il va.

B

1. Je vais monter.
2. Tu vas déménager.
3. Ils vont fermer.
4. Vous allez comprendre.
5. Le malade va guérir.
6. Il va être.
7. Helen va rester.
8. vont quitter.
9. il va chercher.
10. Ils vont finir.

3

A

1. Elle vient d'être.
2. Vous venez d'écouter.
3. Tu viens de prendre.
4. Ils viennent d'avoir.
5. Nous venons de visiter Rome.

B

1. Tu viens de recevoir.
2. Nous venons de changer.
3. Ils viennent d'acheter.
4. Le grand-père... vient de sortir.
5. Vous venez de payer.

4

1. Le médecin va arriver.
2. Nous venons de finir.
3. Tu vas passer.
4. Je viens d'apprendre.
5. Il va être.

5

A

1. Elle veut maigrir.
2. Vous pouvez entrer.
3. Tu dois aller.
4. Nous savons parler.
5. Elle désire rencontrer.
6. Tu espères réussir.
7. Ils préfèrent vivre.
8. Il aime jouer.
9. Je déteste marcher.
10. Ils font construire.

B

1. Vous partez faire.
2. Nous allons écouter.
3. Ils viennent jouer.
4. Je sors mettre.
5. Tu reviens chercher.
6. Elle repart acheter.
7. Je rentre travailler.
8. Elles retournent voir.
9. Il remonte prendre.
10. Tu descends ouvrir.

6

A

1. J'ai envie d'aller.
2. Vous avez envie de boire.
3. Nous avons envie de jouer.
4. Tu as besoin de dormir.
5. Elle a besoin de prendre.
6. Ils ont besoin de répéter.
7. Nous avons peur d'arriver.
8. Vous avez peur de faire.
9. Ils ont peur de rater.
10. Tu as peur de conduire.

B

1. Nous finissons de dîner.

2. Je finis de ranger.
3. L'orateur finit de parler.
4. Il commence à énerver.
5. Le bébé commence à marcher.
6. Nous commençons à perdre.
7. Il commence à faire froid.
8. Tu continues à fumer.
9. Il continue à pleuvoir.
10. Elle continue à pleurer.

7

A

1. fait pleurer. 2. faisons jouer. 3. faites venir. 4. laisse parler. 5. laisse dormir. 6. laisses tomber. 7. vois atterrir. 8. vois passer. 9. n'entend pas sonner. 10. entendent crier.

B

1. Tu fais traverser un aveugle.
2. Ils font marcher les machines.
3. Vous laissez courir le chien.
4. Le moniteur laisse conduire le jeune homme.
5. Elle voit partir l'autobus.
6. Nous voyons arriver le métro.
7. Vous voyez sortir les spectateurs du cinéma.
8. Vous entendez miauler le chat.
9. Nous entendons tomber la pluie.
10. Tu entends siffler le train.

8

A

A. Il faut manger pour vivre.
B. Il vaut mieux être en bonne santé.
C. Il est impossible de voir les yeux fermés.
D. Il est interdit de boire de l'alcool.
E. Il est difficile de bien parler le français.

B *Par exemple :*

1. Il faut faire un peu de sport.
2. Il vaut mieux avoir de bonnes dents.
3. Il est possible de nager dans cette rivière.
4. Il est interdit de marcher sur les pelouses de ce jardin.
5. Il n'est pas nécessaire de tirer de l'argent sur ce compte.
6. Il est facile de porter un panier vide.
7. Il est obligatoire de faire ses devoirs.
8. Il est difficile de grimper aux arbres.
9. Il est impossible de vivre sans oxygène.
10. Il est permis de fumer dans ce compartiment.

9

Par exemple :

1. Tu aimes jouer.
2. Il veut partir.
3. Elle vient d'arriver.
4. On doit rester calme.
5. Nous avons envie de bavarder.
6. Elles partent faire un voyage.
7. Vous pouvez répondre.
8. Je n'ai pas besoin de travailler.
9. Tu sais bien nager.
10. Nous allons faire du ski.
11. Il faut rentrer demain matin.
12. Elle sort faire des courses.
13. Vous commencez à pleurer.
14. Il a peur de mourir.
15. Je finis de dîner.
16. Ils détestent jouer.
17. Tu laisses tomber ton sac.
18. Nous continuons à espérer.
19. J'entends siffler le merle.
20. Elle fait rire ses amis.

10

aime, peut, a envie d', a besoin d', déteste, doit, va, veut, commence à, faut.

CHAPITRE 7

Les démonstratifs, adjectifs et pronoms

1

1. cette 2. ce 3. ce 4. ces 5. cette 6. cet 7. ces 8. cet 9. cet 10. ces

2

A

1. Ces sonates sont de Chopin.
2. Ces concertos sont.
3. Ces opéras sont.
4. Ces symphonies sont.
5. Ces concerts sont magnifiques.

B

1. Cette cantatrice est célèbre.
2. Ce pianiste est très connu.
3. Cet orchestre est excellent.
4. Ce guitariste est espagnol.
5. Cette artiste est pleine de talent.

3

1. celles du. 2. celui de. 3. celle de. 4. celles de. 5. celui du. 6. ceux des. 7. celui de. 8. celle des. 9. ceux du. 10. celles de.

4

A

1. celles de. 2. ceux de. 3. celui d'. 4. celle de. 5. ceux de.

B

1. celle-là. 2. celui-là. 3. ceux-là. 4. celle-là. 5. ceux-là.

C

1. Celles-ci, celles-là.
2. dans celle-ci, dans celle-là.
3. celui-ci, celui-là.
4. celui-ci, celui-là.
5. ceux-ci, ceux-là.
6. celui-ci, celui-là.
7. ceux-ci, ceux-là.
8. celles-ci, celles-là.
9. celui-ci, celui-là.
10. celles-ci, celles-là.

5

A

1. Nous détestons ces disques, nous aimons mieux ceux-là.
2. Ces idées-ci sont bonnes, celles-là sont mauvaises.
3. Nous n'aimons pas ces romans... ; nous préférons ceux de...
4. Ces voix ne sont pas celles des petites filles.
5. Ces hommes-ci sont grecs, ceux-là sont turcs.

B

1. Cet enfant ? C'est celui de ma voisine.
2. Cette montre est à l'heure exacte ; celle-là retarde.
3. Cet acteur est celui du dernier film de Truffaut.
4. Cette voix est aiguë, celle-là est grave.
5. Ce bateau est au port, celui du pêcheur est en mer.

6

B

Mais cet amour... car cette petite souris... Celui-ci est jaloux...!

CHAPITRE 8

Les possessifs, adjectifs et pronoms

1

A

1. C'est mon bracelet.
2. C'est ma bague.
3. C'est mon alliance.
4. Ce sont mes bijoux.
5. Ce ne sont pas mes boucles d'oreille.

B

1. C'est ton lit.
2. C'est ta chambre.
3. C'est ton oreiller.
4. Ce sont tes couvertures.
5. Ce ne sont pas tes draps.

C

1. C'est son film.
2. C'est sa caméra.
3. C'est son appareil-photo.
4. Ce sont ses pellicules.
5. Ce sont ses albums.

D

1. C'est notre journal.
2. C'est notre revue.
3. C'est notre hebdomadaire.
4. Ce sont nos quotidiens.
5. Ce sont nos magazines.

E

1. Ce n'est pas votre plat.
2. Ce n'est pas votre assiette.
3. Ce ne sont pas vos couteaux.
4. Ce ne sont pas vos fourchettes.
5. Ce ne sont pas vos cuillères.

F

1. C'est leur voilier.
2. C'est leur planche à voile.
3. Ce sont leurs bateaux.
4. Ce sont leurs barques.
5. Ce sont leurs sous-marins.

2

1. ma, mes. 2. son, sa. 3. notre. 4. tes, Tes, ton, tes, ta. 5. leurs, leur, leur. 6. votre, vos. 7. sa, ses, ses, son, son. 8. nos, nos. 9. leurs, leur. 10. mes, mes, mon, mes.

3

A

Mon studio, mon loyer, mes livres, mon bureau, mes étagères, mon placard. Mes fenêtres, mon université.
Mes voisins, mes cours, mes copains, notre travail, nos professeurs, mes premiers examens, ma bonne étoile!

B

Son studio, son loyer. Elle peut mettre ses livres sur son bureau et sur ses étagères, et son placard. Ses fenêtres, elle n'est pas très loin de son université. Ses voisins, ses cours, ses copains. Ils travaillent, leur travail, leurs professeurs. Elle va bientôt passer ses premiers examens. Elle compte sur sa bonne étoile!

4

A

1. C'est mon whisky. C'est le mien.
2. C'est ma vodka. C'est la mienne.
3. C'est mon eau minérale. C'est la mienne.
4. Ce sont mes verres. Ce sont les miens.
5. Ce sont mes bouteilles. Ce sont les miennes.

B

1. C'est ton poste. C'est le tien.
2. C'est ta calculatrice. C'est la tienne.
3. C'est ton appareil. C'est le tien.
4. Ce sont tes cassettes. Ce sont les tiennes.
5. Ce sont tes disques. Ce sont les tiens.

C

1. C'est son briquet. C'est le sien.
2. C'est sa pipe. C'est la sienne.
3. C'est son allumette. C'est la sienne.
4. Ce sont ses cigarettes. Ce sont les siennes.
5. Ce sont ses cigares. Ce sont les siens.

D

1. Ce n'est pas notre perroquet. Ce n'est pas le nôtre.
2. Ce n'est pas notre panthère. Ce n'est pas la nôtre.
3. Ce ne sont pas nos crocodiles. Ce ne sont pas les nôtres.
4. Ce ne sont pas nos girafes. Ce ne sont pas les nôtres.

5. Ce ne sont pas nos éléphants. Ce ne sont pas les nôtres.

E

1. C'est votre studio. C'est le vôtre.
2. C'est votre chambre. C'est la vôtre.
3. Ce sont vos villas. Ce sont les vôtres.
4. Ce sont vos châteaux. Ce sont les vôtres.
5. Ce sont vos immeubles. Ce sont les vôtres.

F

1. C'est leur oiseau. C'est le leur.
2. C'est leur chatte. C'est la leur.
3. Ce sont leurs chevaux. Ce sont les leurs.
4. Ce sont leurs chiennes. Ce sont les leurs.
5. Ce sont leurs serpents. Ce sont les leurs.

5

1. le tien ? 2. les siennes ? 3. les leurs ? 4. le sien.
5. les miens. 6. le vôtre ? 7. les nôtres...
8. la mienne... 9. la vôtre ? 10. le sien.

6

Mon cher Philippe
ton déménagement ? le mien. toutes mes affaires. toutes les tiennes ?
pour tes meubles ? Et ta vaisselle ? La mienne. ton jardin, Ici, le mien, ton garage ? Le mien. Tes enfants, leur nouvelle chambre ? Les miens, la leur. Et ta femme, votre nouvelle maison ? Ma femme, la nôtre.
ton appartement, ton quartier ? tes amis, les miens. toutes mes questions, tes nouvelles!

CHAPITRE 9

Les adverbes

1

A

1. franche - franchement
2. douce - doucement
3. parfaite - parfaitement
4. certaine - certainement
5. simple - simplement
6. joyeuse - joyeusement
7. heureuse - heureusement
8. normale - normalement
9. faible - faiblement
10. libre - librement
11. rare - rarement
12. spéciale - spécialement
13. rapide - rapidement
14. facile - facilement
15. claire - clairement
16. amicale - amicalement
17. active - activement
18. vive - vivement
19. sûre - sûrement
20. seule - seulement

B

1. annuelle - annuellement
2. mensuelle - mensuellement
3. manuelle - manuellement
4. naturelle - naturellement
5. réelle - réellement.

C

1. première - premièrement
2. dernière - dernièrement
3. entière - entièrement
4. régulière - régulièrement
5. complète - complètement
6. discrète - discrètement
7. secrète - secrètement
8. légère - légèrement

D

1. énorme - énormément
2. confuse - confusément
3. précise - précisément.

E

1. patiemment
2. prudemment
3. évidemment
4. fréquemment
5. récemment
6. suffisamment
7. couramment
8. méchamment

F

1. vraiment. 2. absolument. 3. joliment. 4. passionnément.

2

1. rapidement. 2. doucement. 3. facilement. 4. franchement. 5. violemment. 6. sérieusement. 7. patiemment. 8. joliment. 9. poliment. 10. méchamment.

3

1. cher. 2. fort! 3. faux. 4. bas. 5. droit. 6. dur.

4

A

1. Tu n'as que deux amis.
2. Nous n'avons qu'un dictionnaire.
3. Les Smith n'ont qu'un enfant.
4. Pierre n'a que des pantalons gris.
5. Le lapin ne mange que des carottes.

B

1. J'ai seulement quinze francs.
2. Peter a seulement deux balles.
3. Il y a seulement trois maisons.
4. J'ai seulement huit jours.
5. Les Davies vont seulement une fois...

5

A

1. mal. 2. derrière. 3. peu. 4. lentement. 5. loin. 6. rarement. 7. tard. 8. moins. 9. mauvais. 10.non, il est dehors.

B. *Par exemple :*

1. Tu comprends difficilement.
2. Elle parle couramment (le) français.
3. Nous agissons librement.
4. Ils travaillent énormément.
5. L'automobiliste conduit prudemment.
6. Vous répondez poliment.
7. La jeune fille sort fréquemment.
8. Elle écoute patiemment.
9. Il mange légèrement.
10. Je dors profondément.

CHAPITRE 10

L'interrogation et l'exclamation

1

A

1. Est-ce une nouvelle leçon ? Est-ce que c'est une nouvelle leçon ? C'est une nouvelle leçon ?
2. Est-ce l'avion pour Rome ? Est-ce que c'est l'avion pour Rome ? C'est l'avion pour Rome ?
3. Est-ce la sœur de François ? Est-ce que c'est la sœur de François ? C'est la sœur de François ?
4. Est-ce le seul problème ? Est-ce que c'est le seul problème ? C'est le seul problème ?
5. ..., est-ce dans le sud de la France ? ..., est-ce que c'est dans le sud de la France ? ..., c'est dans le sud de la France ?

B

1. Est-il aviateur ? Est-ce qu'il est aviateur ? Il est aviateur ?
2. Est-elle hôtesse de l'air ? Est-ce qu'elle est hôtesse de l'air ? Elle est hôtesse de l'air ?
3. Est-il seul dans sa chambre ? Est-ce qu'il est seul dans sa chambre ? Il est seul dans sa chambre ?
4. Sont-elles en retard ? Est-ce qu'elles sont en retard ? Elles sont en retard ?
5. Sommes-nous en avance ? Est-ce que nous sommes en avance ? Nous sommes en avance ?

C

1. Patrick est-il dans... ? Est-ce que Patrick est dans... ? Patrick est dans la salle d'attente ?
2. Le pilote est-il... ? Est-ce que le pilote est... ? Le pilote est à l'heure ?
3. L'avion est-il... ? Est-ce que l'avion est... ? L'avion est sur la piste n° 3 ?
4. Les passagers sont-ils... ? Est-ce que les passagers sont... ? Les passagers sont en transit ?
5. Les boutiques... sont-elles fermées... ? Est-ce que les boutiques... sont fermées... ? Les boutiques... sont fermées... ?

2

1. Y a-t-il un pilote... ? Est-ce qu'il y a un pilote... ?
2. Y a-t-il un vol... ? Est-ce qu'il y a un vol... ?
3. Y a-t-il une tour de contrôle.... ? Est-ce qu'il y a une tour... ?
4. Y a-t-il des hommes d'affaires... ? Est-ce qu'il y a des hommes d'affaires... ?
5. Y a-t-il des places... ? Est-ce qu'il y a des places... ?

3

1. Es-tu libre ce soir ? Est-ce que tu es libre... ? Oui, je suis libre ce soir.
2. Prenez-vous souvent l'avion ? Est-ce que vous prenez... ? Oui, je prends (nous prenons) souvent l'avion.
3. Tes sœurs viennent-elles à Paris ? Est-ce que tes sœurs viennent à Paris ? Oui, elles viennent à Paris.
4. Aimes-tu beaucoup les voyages ? Est-ce que tu aimes... ? Oui, j'aime beaucoup les voyages.
5. L'avion Paris-Nice est-il toujours plein ? Est-ce que l'avion Paris-Nice est... ? Oui, il est toujours plein.

4

1. Nathalie est-elle dans l'avion... ? Est-ce que Nathalie est dans l'avion... ?
2. Avez-vous du feu ? Est-ce que vous avez du feu ?
3. Le directeur voyage-t-il souvent ? Est-ce que le directeur voyage souvent ?
4. Le vol pour Sydney est-il retardé ? Est-ce que le vol pour Sydney est retardé ?
5. Philippe veut-il regarder le film ? Est-ce que Philippe veut regarder le film ?
6. Cette femme a-t-elle peur en avion ? Est-ce que cette femme a peur en avion ?
7. Embarquons-nous à onze heures ? Est-ce que nous embarquons à onze heures ?
8. Les vols pour Edimbourg sont-ils annulés ? Est-ce que les vols pour Edimbourg sont annulés ?
9. Ces passagers doivent-ils changer d'avion ? Est-ce que ces passagers doivent changer d'avion ?
10. Est-ce merveilleux de voler en Concorde ? Est-ce que c'est merveilleux de voler en Concorde ?

5

A

1. C'est le facteur.
2. C'est ton ami Alain.
3. Ce sont tes parents.
4. Ce sont des amis.
5. C'est M. Mitterrand.

B

1. Je suis.
2. Je cherche ma cousine.
3. J'attends mes neveux.

4. Je demande M. Ripert.
5. Je vois Caroline et Davy.

C

1. Qui soigne les malades ? Qui est-ce qui soigne les malades ? C'est le médecin.
2. Qui écrit dans un journal ? Qui est-ce qui écrit dans un journal ? Ce sont les journalistes.
3. Qui dirige une banque ? Qui est-ce qui dirige une banque ? C'est le directeur de la banque.
4. Qui paye le loyer ? Qui est-ce qui paye le loyer ? C'est le locataire.
5. Qui répare les chaussures ? Qui est-ce qui répare les chaussures ? C'est le cordonnier.

D

1. Qui est-ce que tu connais à Paris ? Je connais deux amis.
2. Qui est-ce qu'il accompagne ? Il accompagne Marie.
3. Qui est-ce que tu veux inviter pour ton anniversaire ? Je veux inviter mes copains.
4. Qui est-ce que tu emmènes au cinéma ? J'emmène Michelle.
5. Qui est-ce que les spectateurs applaudissent ? Ils applaudissent les clowns.

6

A

1. À qui appartiennent ces gants ? À qui est-ce que ces gants appartiennent ?
2. À qui téléphones-tu ? À qui est-ce que tu téléphones ?
3. À qui répond-il ? À qui est-ce qu'il répond ?
4. À qui parlez-vous ? À qui est-ce que vous parlez ?
5. À qui pensent-ils ? À qui est-ce qu'ils pensent ?

B

1. De qui parlez-vous ? De qui est-ce que vous parlez ?
2. De qui la jeune fille s'occupe-t-elle ? De qui est-ce que la jeune fille s'occupe ?
3. Chez qui habite-t-il ? Chez qui est-ce qu'il habite ?
4. Avec qui Sophie se marie-t-elle ? Avec qui est-ce que Sophie se marie ?
5. Pour qui votent-ils ? Pour qui est-ce qu'ils votent ?

7

1. Qu'est-ce ? Qu'est-ce que c'est ?
2. Que fais-tu ? Qu'est-ce que tu fais ?
3. Qu'est-ce? Qu'est-ce que c'est ?
4. Que dit-elle ? Qu'est-ce qu'elle dit ?
5. Que cherchent-elles ? Qu'est-ce qu'elles cherchent ?
6. Que fumes-tu ? Qu'est-ce que tu fumes ?
7. Que prenez-vous ? Qu'est-ce que vous prenez ?
8. Qu'est-ce ? Qu'est-ce que c'est ?
9. Que veux-tu ? Qu'est-ce que tu veux ?
10. Que buvez-vous ? Qu'est-ce que vous buvez ?

8

A

1. Ce sont les étoiles.
2. C'est la lampe.
3. C'est la neige.
4. Ce sont les fleurs.
5. Ce sont les films d'horreur.

B

1. J'écoute du jazz.
2. Je fume des brunes.
3. J'ai une Renault.
4. Je veux une choucroute garnie.
5. Il y a une entrée, un plat, un fromage et un dessert.

C

1. Je choisis la mousse au chocolat.
2. Ce sont des tartines de pain.
3. Il y a un bon western.
4. Ce sont les histoires d'amour.
5. Je cherche mes ciseaux.

9

1. À quoi penses-tu ? À quoi est-ce que tu penses ?
2. À quoi joue-t-elle ? À quoi est-ce qu'elle joue ?
3. À quoi rêves-tu ? À quoi est-ce que tu rêves ?
4. À quoi s'intéresse-t-il ? À quoi est-ce qu'il s'intéresse ?
5. De quoi parlez-vous ? De quoi est-ce que vous parlez ?
6. De quoi discutent-elles ? De quoi est-ce qu'elles discutent ?
7. Sur quoi est-il couché ? Sur quoi est-ce qu'il est couché ?
8. Par quoi commençons-nous ? Par quoi est-ce que nous commençons ?
9. En quoi est-il ? En quoi est-ce qu'il est ?
10. Devant quoi est-elle assise ? Devant quoi est-ce qu'elle est assise ?

10

A

1. C'est en Italie. 2. C'est au Portugal. 3. C'est en Espagne. 4. C'est en Chine. 5. C'est au Maroc.

B

1. Il est dans cette rue. 2. Il est à l'université. 3. Elle est dans mon sac. 4. Elles sont sur la table. 5. Elles sont sous mon lit.

C

1. Je vais à la poste. 2. J'habite à Versailles, en banlieue. 3. Je travaille à la mairie. 4. Je vais au Sénégal. 5. Nous allons dîner au restaurant.

11

A

1. Quand pars-tu ? Quand est-ce que tu pars ?
2. Quand prend-elle ses vacances ? Quand est-ce qu'elle prend... ?
3. Quand déménage-t-il ? Quand est-ce qu'il déménage ?
4. Quand reviens-tu à Paris ? Quand est-ce que tu reviens... ?
5. Quand se marie-t-elle ? Quand est-ce qu'elle se marie ?

B

1. Depuis quand est-il à Toulouse ? Depuis quand est-ce qu'il est... ?
2. Depuis quand est-elle malade ? Depuis quand est-ce qu'elle est... ?
3. Depuis quand vivez-vous ici ? Depuis quand est-ce que vous vivez... ?
4. Depuis quand fumes-tu ? Depuis quand est-ce que tu fumes ?
5. Depuis quand connaît-elle François ? Depuis quand est-ce qu'elle connaît François ?

C

1. Jusqu'à quand Olivier reste-t-il chez son ami ? Jusqu'à quand est-ce qu'Olivier reste chez son ami ?
2. Jusqu'à quand restez-vous en Italie ? Jusqu'à quand est-ce que vous restez en Italie ?
3. Jusqu'à quand vas-tu attendre sa lettre ? Jusqu'à quand est-ce que tu vas attendre sa lettre ?
4. Jusqu'à quand travailles-tu à Reims ? Jusqu'à quand est-ce que tu travailles à Reims ?
5. Jusqu'à quand as-tu besoin de ma voiture ? Jusqu'à quand est-ce que tu as besoin de ma voiture ?

12

A

1. Comment allez-vous ?
2. Comment vous appelez-vous (t'appelles-tu) ?
3. Comment joues-tu au poker ?
4. Comment parle-t-elle italien ?
5. Comment rentrez-vous chez vous ?

B

1. Pourquoi veux-tu dormir ?
2. Pourquoi prends-tu ton parapluie ?
3. Pourquoi vas-tu à Prague ?
4. Pourquoi Christine met-elle des lunettes ?
5. Pourquoi portes-tu trois pulls ?

C

1. Combien d'enfants ont les Dilon ?
2. Combien de sucres mets-tu dans ton café ?
3. Combien de pièces y a-t-il dans cet appartement ?
4. Combien de fois par semaine vas-tu danser ?
5. Combien d'habitants y a-t-il dans cette ville ?

D

1. Depuis combien de temps prend-elle ce remède ?
2. Depuis combien de temps travailles-tu dans ce magasin ?
3. Depuis combien de temps pleut-il ?
4. Depuis combien de temps les deux champions jouent-ils ?
5. Depuis combien de temps sont-ils en voyage ?

13

A

1. C'est...
2. C'est 3, rue des Amandiers, à Cannes.
3. Ce sont Juliette et Corinne.
4. Ce sont Robert de Niro et Vittorio Gazman.
5. Ce sont les chansons des Beatles.

B

1. J'ai vingt ans.
2. Il est trois heures.
3. Ils sont verts.
4. Il fait chaud (frais, froid).
5. J'invite Mireille et Antoine.

C

1. Je finis (mon travail) à six heures.
2. Je rentre (chez moi) vers sept heures.
3. Je descends à Opéra.
4. Je veux partir pour l'Australie.
5. Nous parlons de *Madame Bovary*.

D

1. quelle. 2. Quel. 3. quelle. 4. quelles. 5. Quels.

E

1. De quel pays reviens-tu ?
2. A quelle heure l'avion atterrit-il ?
3. A quel étage habitent-elles ?
4. De quelle couleur sont ses yeux ?
5. Dans quel arrondissement tes amis habitent-ils ?

14

1. Lequel. 2. laquelle. 3. Lesquelles. 4. Lequel. 5. lequel. 6. laquelle (lesquelles). 7. Lequel. 8. laquelle. 9. lequel (lesquels). 10. laquelle.

15

1. C'est du vin (c'est un vin français).
2. Je suis français(e).
3. Ce sont les voitures et les camions.
4. C'est le facteur.
5. Ce sont les mangues et le raisin.
6. Il vend des livres.
7. C'est dans le sud de la France (sur la Côte d'Azur).
8. J'arrive en retard parce que j'ai raté mon train.

9. Nous dînons à huit heures.
10. Il coûte... francs.

16

1. Quel est votre nom ? Quel est votre prénom ? Est-ce que vous travaillez ? Quel est votre métier ? Où habitez-vous ? etc.
2. Quels sont les horaires des trains pour Toulouse ? A quelle heure ce train arrive-t-il à Bordeaux ? Combien coûte un billet Paris-Bordeaux ? Y a-t-il des tarifs spéciaux pour les étudiants ? Est-ce que je dois réserver ma place ?
3. Que me conseillez-vous pour commencer ? Quelles sont vos spécialités ? Quel vin peut-on prendre avec ce plat ?
4. Est-ce que je peux essayer ces deux paires ? Avez-vous une pointure plus grande (petite) ? Combien coûtent ces chaussures-ci ? Y a-t-il une autre couleur ? Avez-vous ce modèle en blanc ?
5. Est-ce que je peux avoir un rendez-vous avec le Docteur... ? Est-ce que je peux avoir un rendez-vous plus tôt (tard) ?

18

A

1. que c'est triste!
2. que c'est difficile!
3. que c'est bête!
4. que c'est cher!

B

1. Qu'il fait chaud cet été! Comme il fait chaud...!
2. Que tu es gentil avec moi! Comme tu es gentil...!
3. Qu'elle est chic, ce soir! Comme elle est chic...!
4. Qu'ils sont désagréables, ces gens! Comme ils sont...!

C

1. Quel dommage! 2. Quel temps de chien! 3. Quelle chance! 4. Quelle horreur! 5. Quelles vacances!

CHAPITRE 11

La négation

1

A

1. Non, je ne suis pas content.
2. Non, nous ne sommes pas loin du métro.
3. Non, ce n'est pas un jour de congé.
4. Non, ce n'est pas ton carnet de chèques.
5. Non, ce ne sont pas les skis de Raphaël.
6. Non, je n'ai pas faim.
7. Non, il n'a pas peur.
8. Non, elles ne savent pas taper à la machine.
9. Non, ils ne partent pas...
10. Non, elle ne travaille pas le dimanche.

B

1. Vous n'avez pas le téléphone.
2. Tu ne dis pas la vérité.
3. Nous ne connaissons pas le nom du directeur.
4. Caroline n'aime pas la musique classique.
5. Albertine ne pense pas à l'avenir.

C

1. Tu ne ranges pas ta chambre.
2. Il ne fait pas son lit.
3. Je n'ai pas besoin de ton aide.
4. Nous ne téléphonons pas à nos parents.
5. Eric ne pense pas à ses amis.

D

1. Julie ne comprend pas cette explication.
2. Nous ne voulons pas vendre ces meubles.
3. Les Roux n'habitent pas ce quartier.
4. Je n'ai pas envie de ce collier.
5. Vous ne connaissez pas cet hôtel.

2

A

1. Nous n'avons pas de maison à la campagne.
2. Pauline ne regarde pas de photos.
3. Julien ne possède pas de timbres rares.
4. Tu n'as pas de pièce d'identité.
5. Je ne connais pas de bon dentiste.
6. Il n'y a pas de porte-monnaie dans ton sac.
7. Il n'y a pas de pièce(s) de trente francs.
8. Il n'y a pas de bureau de change.
9. Il n'y a pas de guichet(s) libre(s).
10. Il n'y a pas de porte automatique.

B

1. Tu ne bois pas de café.
2. Vous ne prenez pas de moutarde.
3. Elles ne perdent pas de temps.
4. Nous ne gagnons pas d'argent.
5. Le marchand... n'a pas de monnaie.
6. Hubert ne fait pas d'économies.
7. Il n'a pas d'énergie.
8. Cédric n'a pas de chance.
9. Il n'y a pas de soleil.
10. Il n'y a pas de circulation...

C

1. Ce n'est pas une belle sculpture.
2. Ce n'est pas du chocolat au lait.
3. Ce ne sont pas des études difficiles.
4. Ce n'est pas de l'essence ordinaire.
5. Ce n'est pas du courrier urgent.

3

1. Nous ne prenons pas l'autobus.
2. Marc n'a pas d'idées.
3. Vincent et Bruno ne font pas d'études.
4. Elle n'aime pas les orages.
5. Il n'y a pas de lettres dans la boîte.
6. Ce n'est pas du café italien.
7. Tu ne vas pas visiter ce musée.
8. Nous n'envoyons pas ces paquets par avion.
9. Ce ne sont pas des rendez-vous importants.
10. Je n'ai pas ton adresse.

4

A

1. n'a pas encore vingt ans. 2. n'a pas encore de compte. 3. Il n'y a pas encore de fleurs. 4. ne marche pas encore. 5. n'est pas encore connue.

B

1. Sophie n'est plus. 2. il n'y a plus de soldes. 3. Il ne reste plus de fruits. 4. Ils ne veulent plus de fromage. 5. Je n'utilise plus cette vieille machine.

C

1. ne vont jamais/ne vont pas toujours.
2. ne déjeune jamais/ ne déjeune pas toujours.
3. ne prend jamais/ne prend pas toujours.

4. ne dit jamais/ne dit pas toujours.
5. n'est jamais/n'est pas toujours.

D

1. ne rentre jamais/ne rentre pas souvent.
2. ne voit jamais/ne voit pas souvent.
3. ne parle jamais/ne parle pas souvent.

E

1. n'est jamais absente/n'est pas souvent absente.
2. ne rencontre jamais/ne rencontre pas souvent.
3. ne travaille jamais/ne travaille pas souvent.

5

A

1. Non, pas du tout. Il n'est pas du tout intéressant/pas intéressant du tout.
2. Non, pas du tout. Il n'est pas du tout bruyant/pas bruyant du tout.
3. Non, pas du tout. Ce n'est pas du tout grave/pas grave du tout.
4. Non, pas du tout. Ce n'est pas du tout facile/pas facile du tout.
5. Non, pas du tout. Ce n'est pas du tout cher/pas cher du tout.

B

1. Non, plus du tout. Il n'est plus du tout fatigué/plus fatigué du tout.
2. Non, plus du tout. Je n'ai plus du tout faim/plus faim du tout.
3. Non, plus du tout. Il n'est plus du tout en colère/plus en colère du tout.
4. Non, plus du tout. Elle ne marche plus du tout.
5. Non, plus du tout. Il n'est plus du tout à la mode/plus à la mode du tout.

6

A

1. Vous ne parlez ni l'anglais ni l'espagnol.
2. Je ne fais ni la cuisine ni le ménage.
3. Ils n'invitent ni les parents ni les enfants.
4. Nous ne finissons ni nos exercices ni notre rédaction.
5. Tu n'aimes ni cette commode ni ce bureau.

B

1. Je ne porte ni cravate ni chapeau.
2. Tu ne manges ni tomates ni champignons.
3. Elle ne boit ni thé ni café.
4. Nous ne lisons ni romans ni livres d'histoire.
5. Vous ne faites ni tennis ni natation.

7

A

1. Nous aimons mieux ne pas avoir de dettes. 2. ne pas avoir d'argent. 3. de ne pas aller trop vite. 4. ne pas arriver. 5. ne pas dépenser.

B

1. La mère... demande aux enfants de ne pas faire de bruit.
2. La S.N.C.F. recommande aux voyageurs de ne pas se pencher...
3. Les pharmaciens conseillent aux malades de ne pas dépasser...

1. Si, j'ai soif. 2. Si, je suis perdu(e). 3. Si, elle ferme le samedi. 4. Si, je parle russe. 5. Si, je change souvent d'avis.

1. Non, elle n'est pas agréable, elle est désagréable.
2. Non, ils ne sont pas heureux, ils sont malheureux.
3. Non, il n'est pas connu, il est inconnu.
4. Non, il n'est pas facile..., il est difficile...
5. Non, il n'est pas prudent, il est imprudent.

10

A

Chers parents, je n'ai plus d'argent et je n'ai pas encore de travail. Pourtant, je dépense peu, je n'achète pas trop de choses. Vous savez, la banque ne prête pas facilement et je ne peux pas emprunter à un ami. Je ne vais pas du tout au cinéma et je ne voyage jamais. Merci de votre aide.

B

- Bonjour, pouvez-vous me donner une baguette ?
- Non, il n'y a plus de baguette.
- Alors, avez-vous du pain complet ?
- Non, nous n'avons pas de pain complet.
- Est-ce que vous faites du pain de seigle ?
- Non, nous ne faisons jamais de pain de seigle.
- Avez-vous encore du pain de mie ou des biscottes ?
- Non, nous n'avons plus ni pain de mie ni biscottes, mais nous avons des croissants au beurre.
- Avez-vous aussi des croissants ordinaires ?
- Non, plus du tout, nous n'avons que des croissants au beurre.
- Alors, merci, au revoir!

C

Je n'ai pas de chance! Je n'ai ni amis ni frères ni voisins! (Je n'ai pas d'amis, pas de frères, pas de voisins!) Mes parents ne sont plus là... Je ne suis pas encore marié, je n'ai ni femme ni enfants. Mon travail n'est pas intéressant, mes collègues ne sont pas très aimables, je n'ai pas souvent de vacances et je gagne peu d'argent!
Je ne ris jamais, je ne sors pas souvent, je n'ai pas de distractions. Je n'ai pas une vie facile, je ne suis pas très heureux (pas heureux du tout).

CHAPITRE 12

Les indéfinis, adjectifs et pronoms

1

1. on est. 2. on ne peut pas. 3. on doit. 4. on dort. 5. on tourne. 6. on vient. 7. On va. 8. On doit. 9. On dit. 10. On appelle.

2

A

1. Oui, il y a quelqu'un. Non, il n'y a personne.
2. Oui, j'attends quelqu'un. Non, je n'attends personne.
3. Oui, je pense à quelqu'un. Non, je ne pense à personne.
4. Oui, il parle à quelqu'un. Non, il ne parle à personne.
5. Oui, je connais quelqu'un... Non, je ne connais personne...

B

1. Oui, quelqu'un vient de téléphoner. Non, personne ne vient de téléphoner.
2. Oui, quelqu'un est blessé. Non, personne n'est blessé.
3. Oui, quelqu'un peut répondre. Non, personne ne peut répondre.
4. Oui, quelqu'un vient dîner. Non, personne ne vient dîner.
5. Oui, quelqu'un veut parler. Non, personne ne veut parler.

C

1. Il ne parle à personne. 2. Je ne reçois personne. 3. Vous ne craignez personne. 4. Elle n'aime personne. 5. Il ne ressemble à personne.

3

A

1. Oui, j'ai quelque chose à déclarer. Non, je n'ai rien à...
2. Oui, ils ont quelque chose à faire. Non, ils n'ont rien à...
3. Oui, il y a quelque chose dans... Non, il n'y a rien dans...
4. Oui, je comprends quelque chose à ce discours. Non, je ne comprends rien à ce discours.
5. Oui, il manque quelque chose... Non, il ne manque rien...

B

1. Non, rien n'est vrai dans cette histoire.
2. Non, rien ne vaut moins de 1 000 francs ici.
3. Non, dans sa situation, rien ne peut changer.
4. Non, rien ne vient d'arriver.
5. Non, rien n'est prévu pour demain.

4

A

1. Rien, je ne fais rien du tout.
2. Rien, je n'ai rien du tout.
3. Rien, ce n'est rien du tout.
4. Rien, je ne vois rien du tout.
5. Rien, je ne comprends rien du tout à cette phrase.

B

1. À rien, je ne pense à rien.
2. De rien, ils n'ont besoin de rien.
3. De rien, nous ne parlons de rien.
4. De rien, il n'est capable de rien.
5. De rien, je n'ai envie de rien.

C

1. Il ne dit pas grand-chose.
2. Il ne craint pas grand-chose.
3. Elle ne mange pas grand-chose.
4. Tu ne bois pas grand-chose.
5. Il ne demande pas grand-chose.

5

A

1. Non, il n'y a rien de nouveau.
2. Non, je n'ai rien d'important à dire.
3. Non, je ne remarque rien de spécial.
4. Non, tu ne dis rien de stupide.
5. Non, on ne joue rien d'intéressant...

B

1. Elle peint quelque chose de beau.
2. Il y a quelque chose d'extraordinaire...
3. Elle prépare quelque chose de bon...
4. Je connais quelque chose d'efficace...
5. Tu fais quelque chose d'amusant.

C

1. Ce banquier est quelqu'un de sérieux.
2. Charlie Chaplin est quelqu'un de drôle.
3. Cette femme est quelqu'un d'original.
4. ... C'est quelqu'un de dangereux.
5. Je ne connais personne de riche.

6

1. quelqu'un. 2. quelqu'un. 3. rien. 4. quelqu'un. 5. quelque chose. 6. personne. 7. rien. 8. quelqu'un. 9. personne. 10. quelque chose

7

1. Non, aucun, je n'ai aucun problème...
2. Non, aucun, il n'y a aucun train...
3. Non, aucun, il n'a aucun talent.
4. Non, aucune, je n'ai aucune mémoire.
5. Non, aucune, je n'ai aucune patience...
6. Non, aucune, je n'ai aucune cigarette blonde.
7. Non, aucun, je n'ai aucun projet...
8. Non, aucun, ils n'ont aucun chat...
9. Non, aucune, je ne vais écrire aucune lettre.
10. Non, aucune, je ne vois aucune station de métro...

8

A

1. quelques journaux. 2. quelques amis. 3. quelques places. 4. quelques propositions. 5. quelques minutes.

B

1. plusieurs fois. 2. plusieurs clients. 3. plusieurs mois. 4. plusieurs fois. 5. plusieurs livres.

C

1. Certains. 2. certains. 3. certains. 4. Certaines. 5. Certaines.

9

1. La plupart des gens ont. 2. La plupart des étudiants travaillent. 3. La plupart des capitales sont. 4. La plupart des sportifs ne fument pas. 5. La plupart du temps, à Paris, le métro est.

10

1. Quelques-uns. 2. quelques-unes. 3. Quelques-unes. 4. quelques-uns. 5. Quelques-unes.

11

A

1. Non, il ne neige nulle part.
2. Non, je ne vais nulle part.
3. Non, elles ne sont nulle part.
4. Je ne peux trouver ce livre rare nulle part.
5. Ce soir, nous n'allons dîner nulle part.

B

1. ailleurs. 2. Il ne veut aller nulle part. 3. quelque part. 4. ailleurs. 5. quelque part.

12

A

1. chaque. 2. chaque. 3. chaque. 4. chaque. 5. chaque.

B

1. il part à sept heures. 2. elle rentre à minuit. 3. elle prend le même train. 4. nous regardons cette émission. 5. il va voir ses parents en Finlande.

13

A

1. chacun. 2. Chacun. 3. chacune. 4. chacun. 5. chacune.

B

1. chacune. 2. chacune. 3. Chacun (e). 4. chacun. 5. chacun (e).

14

A

1. un autre. 2. une autre. 3. une autre. 4. un autre. 5. un autre.

B

1. d'autres nouvelles. 2. d'autres immeubles. 3. d'autres produits. 4. d'autres pantalons. 5. d'autres renseignements ?

C

1. de l'autre. 2. des autres. 3. de l'autre. 4. des autres. 5. des autres.

D

1. Elles apportent d'autres tartes et d'autres gâteaux.
2. Vous, vous prenez ces voitures, nous, nous montons dans les autres.
3. Elles ont des amies à Lille et d'autres à Calais.
4. Y a-t-il d'autres films à voir ?
5. Les portes de ces immeubles sont bien fermées, mais pas celles des autres.
6. Voulez-vous d'autres fruits ?
7. Ils vont lire d'autres romans.
8. Nous avons nos valises, mais où sont les autres ?
9. Avez-vous d'autres idées ?
10. Nous ne nous souvenons plus des noms des autres invités.
11. Est-ce qu'ils vont trouver d'autres solutions ?
12. Comment trouvez-vous les discours des autres candidats ?
13. Est-ce que vous pouvez fixer d'autres dates pour ces rendez-vous ?
14. Nous voulons acheter d'autres billets.
15. Qu'est-ce que vous pensez des articles des autres journalistes ?

15

A

1. l'un, l'autre. 2. l'une, l'autre. 3. l'un, l'autre. 4. l'une à l'autre. 5. l'un, l'autre.

B

1. ... les uns sont des romans, les autres sont des bandes dessinées.
2. ... les unes sont bronzées, les autres sont pâles.
3. ... les uns sont turcs, les autres sont tchèques.
4. ... les uns sont ici, les autres sont ailleurs.
5. ... les unes sont géniales, les autres sont folles.

C

1. dit. dit, répondent. 2. ne peuvent pas. 3. viennent. 4. vont. 5. sont.

D

1. Quelques-uns vivent en France, d'autres vivent à l'étranger.
2. Quelques-uns passent... à la mer, d'autres à la montagne.
3. Quelques-unes montrent des vêtements, d'autres des meubles.
4. Quelques-unes sont originales, d'autres sont banales.
5. Quelques-uns regardent des dessins animés, d'autres des films.

16

A

1. autre chose. 2. autre part. 3. d'autre chose. 4. autre part. 5. autre chose.

B

1. Non, je ne veux rien ajouter d'autre.
2. Non, je ne vais téléphoner à personne d'autre.
3. Non, je n'ai rien d'autre à dire.
4. Non, elle n'a besoin de rien d'autre.
5. Non, il ne faut prévenir personne d'autre.

17

A

1. toute, tous. 2. tous, tous. 3. Tout. 4. tous, toute. 5. Toute. 6. Toutes. 7. tous. 8. toutes. 9. toute. 10. tout.

B

1. tous, toutes. 2. tous. 3. Tous. 4. toutes, tous. 5. toutes. 6. toute, tout. 7. Tout. 8. Tout. 9. Tous. 10. toutes.

18

1. à toute allure. 2. De toute façon. 3. En tout cas. 4. à toutes jambes. 5. toutes sortes de.

19

A

1. tout. 2. tout. 3. Tout. 4. tout, tout. 5. Tout.

B

1. Oui, elles sont toutes françaises. Oui, toutes sont françaises.
2. Oui, elles sont toutes timbrées. Oui, toutes sont timbrées.
3. Oui, ils sont tous pour nous. Oui, tous sont pour nous.
4. Oui, ils viennent tous au cinéma. Oui, tous viennent..
5. Oui, ils vont tous voter. Oui, tous vont voter.

20

A

1. tout, tout. 2. tout, tout. 3. tout, tout. 4. tout, tout. 5. tout, tout.

B

1. tout (e), tout (e). 2. tout (e), toute. 3. toute, tout (e). 4. toutes, toutes. 5. toutes nues, toutes minces.

21

1. toutes. 2. tout. 3. tout, toute. 4. tous. 5. tout, tout. 6. tout. 7. tout. 8. toutes. 9. tout, tout. 10. toutes. 11. Tous, toutes. 12. tout, tout. 13. tout. 14. Tous, tout. 15. toute.

22

1. le même. 2. la même, le même. 3. la même, les mêmes. 4. les mêmes. 5. les mêmes, les mêmes. 6. la même, les mêmes, les mêmes. 7. la même. 8. au même endroit, à la même date. 9. Au même moment, la même. 10. les mêmes phrases.

23

A

1. ... tout le monde applaudit.
2. Elle comprend tout, elle répond quelque chose.
3. Il voit cette fille quelque part.
4. Vous buvez quelque chose.
5. Est-ce que personne n'est gentil...
6. Elle oublie toujours tout.7. Nous nous disons tout.
8. Est-ce que quelqu'un peut répondre ?
9. Est-ce qu'elle ne sait rien ?
10. Quelqu'un va venir.

B

... On peut voir... de tous les âges, de toutes les nationalités, mais il n'y a aucun enfant.
Quelques jeunes gens..., certains (les uns)..., d'autres (les autres)... . Ils ont tous quelque chose... . Quelques-uns (certains)... . Plusieurs (quelques) hommes... . Les uns (certains)..., les autres (d'autres) regardent...
... vont d'une table à l'autre et apportent à chacun... ; la plupart des jeunes gens boivent du café. Parfois, quelqu'un... . Personne ne fait attention... ; tout le monde est heureux...
Rien n'égale... ; on ne peut trouver cette atmosphère nulle part ailleurs.

CHAPITRE 13

Le futur de l'indicatif

1

A

Je serai, tu seras, il sera, nous serons, vous serez, ils seront.
J'aurai, tu auras, il aura, nous aurons, vous aurez, ils auront.

B

1. Nous serons. 2. Nous aurons. 3. Vous serez. 4. Tu auras. 5. Vous aurez. 6. J'aurai, je serai. 7. Il y aura, ce ne sera pas. 8. Les enfants n'auront pas. 9. Ils seront. 10. Tu seras.

2

A

Tu regarderas, il chantera, nous avancerons, vous partagerez, ils entreront.

B

J'oublierai, vous copierez, elle jouera, ils diminueront, nous louerons.

C

On paiera (payera), nous essaierons (essayerons), vous appuierez, tu essuieras, je nettoierai.

D

Tu espéreras, vous répéterez, je pénétrerai, nous réglerons, ils exagéreront.

E

Vous pèserez, tu promèneras, je soulèverai, on emmènera, ils enlèveront.

F

Vous achèterez, elle rachètera, je pèlerai, tu congèleras, ils dégèleront.

G

Je rejetterai, il appellera, tu projetteras, elles feuilletteront, nous rappellerons.

H

1. Pascal répétera... 2. Ils commenceront... 3. Tu jetteras... 4. Elles nettoieront... 5. Je pèserai... 6. Nous paierons (payerons)... 7. Ce vieux monsieur appellera... 8. Tu n'oublieras pas... 9. Valentine achètera... 10. Est-ce que vous changerez...

3

A

Elle remplira, vous réunirez, tu grandiras, nous réfléchirons, elles réussiront.
Nous partirons, il servira, ils dormiront, vous offrirez, tu ouvriras.

B

1. Réfléchir. Nous réfléchirons.
2. Dormir. Je dormirai.
3. Ouvrir. Vous ouvrirez.
4. Réussir. Il réussira.
5. Offrir. Tu offriras.
6. Grandir, ne grandira plus.
7. Servir, serviront.
8. Réunir, réuniront.
9. Sortir. À quelle heure sortiras-tu?
10. Sentir. Je ne sentirai plus.

4

A

Je dirai, tu construiras, il traduira, vous vivrez, ils suivront.

B

Nous mettrons, elles battront, tu connaîtras, je croirai, il plaira.

C

Ils perdront, elle prendra, tu rendras, je répondrai, nous mordrons.

D

Je craindrai, nous peindrons, tu plaindras, vous éteindrez, ils rejoindront.

5

1. Boire… ils boiront.
2. Remettre. Je remettrai.
3. Construire. Tu construiras.
4. Apparaître. Les clowns apparaîtront.
5. Craindre. Monique craindra.
6. Reprendre. Vous reprendrez.
7. Rejoindre. Ils rejoindront.

8. Traduire. Nous traduirons.
9. Vivre. Vous vivrez.
10. Croire. Je ne croirai plus.

6

A

Nous recevrons, ils devront, il pleuvra, vous apercevrez, tu décevras.

B

1. Ils ne décevront pas. 2. Est-ce que vous devrez. 3. Tu apercevras. 4. Il pleuvra. 5. Nous recevrons.

C

Tu reviendras, ils tiendront, il faudra, nous voudrons, cela vaudra.

D

1. il faudra. 2. Je ne tiendrai pas. 3. vous voudrez. 4. il vaudra mieux. 5. Les peintres viendront-ils.

7

A

Tu reverras, il enverra, nous pourrons, vous courrez, ils mourront.

B

1. Tu enverras. 2. Guillaume courra. 3. Nous mourrons. 4. Les locataires ne pourront pas. 5. À Noël, est-ce que vous reverrez.

C

1. Nous irons. 2. Tu feras. 3. L'acteur saura. 4. Elles cueilleront. 5. Vous ne ferez pas.

D

1. On ne saura jamais. 2. vous cueillerez. 3. Est-ce que vous ferez? 4. Personne n'ira. 5. les pêcheurs n'iront pas.

8

1. Recevoir. Vous recevrez.
2. Pouvoir. Je ne pourrai pas.
3. Savoir. Nous ne saurons jamais.
4. Envoyer. Tu enverras.
5. Vouloir. Elles voudront.
6. Venir. Ils viendront.
7. Voir. Je ne verrai plus.
8. Faire. Serge fera.
9. Aller. Est-ce que vous irez.
10. Courir. Julie courra.

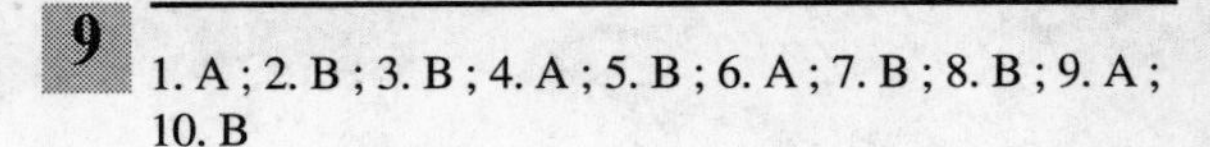

9

1. A ; 2. B ; 3. B ; 4. A ; 5. B ; 6. A ; 7. B ; 8. B ; 9. A ; 10. B

10

1. - L'avion va décoller d'une minute à l'autre.
   - ..., tous les avions décolleront comme prévu.
2. - Ils vont bientôt partir en voyage d'études.
   - ...! Nous irons en Norvège l'été prochain.
3. - "Tu n'épouseras pas ce garçon!" ...
   - Ils vont se marier dans huit jours.

11

A

..., on célébrera... . J'inviterai..., nous serons... . Nous mangerons ensemble, nous danserons, nous rirons, nous pourrons...

Il faudra... . Nous n'oublierons rien. Mes meilleurs amis viendront... . ... nous devrons... . Certains laveront.., d'autres balaieront (balayeront) ou essuieront..., nous nettoierons tout. ..., nous enlèverons ou nous déplacerons..., et nous décorerons... .

Il y aura... . Chacun apportera... . Je ferai..., et je mettrai... .

...; on éteindra...; le gâteau apparaîtra... ; je soufflerai très fort et mes amis chanteront... . J'embrasserai..., on ouvrira..., on remplira... et on boira... . Personne ne voudra...!

C

Tu prendras... . Tu changeras..., et tu continueras... Il faudra... . Tu sortiras... et tu devras... . Là, tu tourneras..., tu longeras..., puis tu traverseras... . Ensuite, tu verras..., et tu apercevras... Tu entreras..., puis tu appelleras...

12

A

Ce responsable :
1. sera, travaillera. 2. devra, aimera, parlera. 3. aura, saura. 4. dirigera, connaîtra. 5. recevra.

B

Demain, toute la journée le temps sera variable.
Au Nord, il y aura du brouillard le matin, et il fera froid.
Au Sud, il fera lourd et il y aura des averses, mais le soleil brillera à midi.
Des orages éclateront sur les montagnes.
Il y aura de la tempête sur les côtes et en mer.
La température ne restera pas stable.

CHAPITRE 14

L'imparfait de l'indicatif

1

A

J'étais, tu étais, il était, nous étions, vous étiez, ils étaient.
J'avais, tu avais, il avait, nous avions, vous aviez, ils avaient.

B

1. Tu avais. 2. Nous étions. 3. Ils étaient. 4. Vous aviez. 5. J'avais envie. 6. Tu étais désolé. 7. Elle avait peur. 8. Nous étions tristes. 9. Je n'avais pas. 10. Elles étaient.

2

A

Je parlais, tu parlais, il parlait, nous parlions, vous parliez, ils parlaient.

B

Je projette, nous projetons. Je projetais, nous projetions.
J'espère, nous espérons. J'espérais, nous espérions.
Je gèle, nous gelons. Je gelais, nous gelions.
J'achète, nous achetons. J'achetais, nous achetions.
J'emmène, nous emmenons. J'emmenais, nous emmenions.
J'appelle, nous appelons. J'appelais, nous appelions.

C

1. Tu écoutais, je regardais.
2. Julien jouait, tous les deux espéraient.
3. Nous allions, nous jouions.
4. Tu gardais, je jetais.
5. Nous possédions, nous rêvions.
6. Lucien cherchait.
7. Les Duval dînaient, ils déjeunaient.
8. Elle se promenait, elle marchait.
9. Vous passiez.
10. Je chantais.

3

A

Je commençais, tu plaçais, il annonçait, nous recommencions, vous lanciez, ils prononçaient.

B

Je mangeais, tu changeais, il interrogeait, nous protégions, vous mélangiez, ils déménageaient.

C

1. Les joueurs lançaient. 2. Ils ne rangeaient jamais. 3. Nous annoncions. 4. Vous plongiez. 5. Ma montre avançait.

4

A

J'essayais, tu employais, il envoyait, nous essuyions, vous ennuyiez, ils payaient.

B

1. Nous essayions. 2. Tu ennuyais. 3. Nous payions. 4. Ils employaient. 5. Vous balayiez.

5

1. Le soleil brillait. 2. Nous signions. 3. Nous remerciions. 4. Vous accompagniez. 5. Nous étudiions. 6. Tu travaillais. 7. Elle oubliait. 8. Vous réveilliez. 9. La jeune fille gagnait. 10. Les manifestants criaient.

6

A

Je finissais, tu réussissais, il obéissait, nous réfléchissions, vous choisissiez, ils maigrissaient.

B

1. Tu remplissais. 2. Françoise choisissait. 3. Moi, je grossissais et toi, tu maigrissais. 4. Nous finissions. 5. Les ouvriers bâtissaient. 6. Vous ne réfléchissiez pas. 7. Les avions atterrissaient. 8. La chatte nourrissait. 9. Nous rougissions. 10. Les enfants pâlissaient.

7

A

1. Les jeunes gens sortaient.
2. Nous partions.
3. Le garçon servait.
4. Je venais.
5. Elle tenait.

B

1. Il offrait.
2. Vous cueilliez.
3. La neige recouvrait.
4. Tu souffrais.
5. Vous ouvriez.

8

A

1. Ils lisaient, vous lisiez, je lisais.
2. Nous traduisions, elle traduisait, tu traduisais.
3. Vous disiez, il disait, elles disaient.
4. Tu construisais, nous construisions, je construisais.
5. Je plaisais, vous plaisiez, elles plaisaient.

B

1. Tu vivais, nous vivions, ils vivaient.
2. Vous poursuiviez, je poursuivais, elle poursuivait.
3. Il suivait, tu suivais, nous suivions.

C

1. Tu rendais, il rendait, elles rendaient.
2. J'entendais, nous entendions, elle entendait.
3. Vous attendiez, tu attendais, il attendait.
4. Nous descendions, je descendais, elles descendaient.
5. Tu répondais, nous répondions, il répondait.
6. Vous défendiez, je défendais, elles défendaient.
7. Ils mordaient, il mordait.
8. Nous perdions, vous perdiez, je perdais.

D

1. Je mettais, vous mettiez, il mettait.
2. Je battais,nous battions, elles battaient.
3. Vous admettiez, tu admettais, il admettait.
4. Nous combattions, je combattais, elles combattaient.
5. Tu remettais, vous remettiez, elle remettait.

E

1. Je paraissais, nous paraissions, il paraissait.
2. Tu connaissais, vous connaissiez, ils connaissaient.
3. Je disparaissais, nous disparaissions, elle disparaissait.
4. Tu naissais, vous naissiez, ils naissaient.
5. Je reconnaissais, vous reconnaissiez, ils reconnaissaient.

F

1. Tu craignais, nous craignions, il craignait.
2. Je peignais, vous peigniez, elles peignaient.
3. Vous joigniez, il joignait, je joignais.
4. Nous éteignions, tu éteignais, elles éteignaient.
5. Je plaignais, vous plaigniez, ils plaignaient.

G

1. Il disait.
2. Vous répondiez.
3. Le policier poursuivait.
4. Nous ne connaissions pas bien.
5. Tu peignais.
6. Vous lisiez.
7. Je craignais.
8. Ils vivaient.
9. Tu descendais.
10. J'interdisais.

9

A

1. Tu savais, vous saviez, ils savaient.
2. Je devais, nous devions, vous deviez.
3. Nous pouvions, elle pouvait, vous pouviez.
4. Je recevais, ils recevaient, tu recevais.
5. Tu voulais, ils voulaient, elle voulait.
6. Nous décevions, je décevais, ils décevaient.
7. Ils valaient, il valait.
8. Elles apercevaient, nous apercevions, tu apercevais.
9. Il fallait.
10. Il pleuvait.

B

1. Nous ne savions pas. 2. Je devais. 3. Il pleuvait. 4. Nous ne pouvions pas. 5. Il fallait.

10

A

1. Tu buvais, nous buvions, il buvait.
2. Je faisais, vous faisiez, elles faisaient.
3. Nous croyions, elle croyait, vous croyiez.
4. Je prenais, nous prenions, il prenait.
5. Tu voyais, nous voyions, ils voyaient.
6. Nous riions, je riais, vous riiez.
7. Tu écrivais, vous écriviez, elle écrivait.
8. Je comprenais, vous compreniez, elle comprenait.
9. Tu prévoyais, nous prévoyions, il prévoyait.
10. Je refaisais, vous refaisiez, ils refaisaient.

B

1. Tu faisais. 2. Vous croyiez. 3. Ils écrivaient. 4. Tu buvais. 5. Je prenais.

1. B ; 2. A; 3. C ; 4. A ; 5. A ; 6. B ; 7. A ; 8. B ; 9. A ; 10. C

1. Je prenais. 2. mes amis venaient. 3. Jacques et moi, (nous) faisions. 4. mes parents n'allaient jamais. 5. sortiez-vous? 6. elle passait. 7. il arrivait. 8. nous partions. 9. Écrivais-tu? 10. Maud disait.

13

A

Les spectateurs arrivaient... et une ouvreuse conduisait... . ..., la salle était... . Les gens achetaient... et bavardaient... .
..., les danseurs prenaient... . Une danseuse arrangeait..., une autre relaçait... . Tous les cœurs

battaient. Ils devaient oublier..., il fallait sourire : le ballet allait commencer.

B

Nous étions... . Nous faisions..., nous passions..., nous partions...
..., nous allions... . Le patron était... et nous pouvions rester... . Nous jouions..., mais parfois nous discutions...

Nous avions... Florent parlait... et critiquait... Patrick lisait... et voyait... . Frédéric, lui, aimait... et organisait... . ..., il savait faire rire... . Il disait... ou faisait... . Nous formions...

CHAPITRE 15

Le passé composé de l'indicatif

1

A

1. J'ai eu et j'ai été.
2. Tu as eu et tu as été.
3. Il a eu et il a été.
4. Nous avons eu et nous avons été.
5. Vous avez eu et vous avez été.
6. Ils ont eu et ils ont été.

B

1. Il y a eu. 2. Vous avez eu, et vous avez été. 3. On a eu, on a été. 4. J'ai été.

2

A

1. J'ai dansé. 2. Tu as parlé. 3. Il a jeté. 4. Nous avons étudié. 5. Vous avez joué. 6. Cette émission a ennuyé.

B

1. La jeune fille a préparé... et a appelé...
2. Est-ce que tu as aimé... ? Non, j'ai détesté...
3. L'automobiliste a trouvé... et a garé...
4. Le vent a soufflé... et la terre a tremblé.

3

A

1. Nous avons choisi. 2. Il a obéi. 3. Les arbres ont fleuri. 4. Les fruits ont mûri.

B

1. Tu as réfléchi. 2. tu as agi. 3. Est-ce que vous avez minci ? 4. j'ai grossi. 5. Cette femme a vieilli. 6. Ses cheveux ont blanchi.

C

1. Helen a dormi. 2. Les enfants ont cueilli. 3. La maîtresse de maison a servi. 4. Les animaux ont senti. 5. La malade a suivi.

4

A

1. J'ai répondu à. 2. Il a entendu. 3. Nous avons perdu. 4. Vous avez attendu. 5. L'équipe du Brésil a battu.

B

1. On a défendu. 2. La caissière a rendu. 3. Le chien a mordu. 4. Tu as confondu. 5. Ils ont combattu.

5

1. a paru. 2. as reconnu. 3. a apparu. 4. a disparu. 5. a bien connu.

6

A

1. vous avez vu.
2. Tu as voulu.
3. Il a fallu.
4. ont prévu.
5. a valu.
6. Nous avons revu.

B

1. Ils ont su.
2. Vous avez pu.
3. Nous avons dû...
4. il a plu.
5. Le marin a aperçu.
6. Les résultats ont décu.
7. J'ai reçu.

7

A

1. Tu as bien retenu. 2. Les grévistes ont obtenu. 3. Cette maison a appartenu. 4. Les champions ont couru.

B

1. Cet enfant a lu. 2. Les Français ont élu.

C

1. Tu as vraiment bu. 2. Est-ce que vous avez cru?

D

1. Est-ce que ton ami a plu? 2. Ce livre a déplu.

8

1. a pris. 2. avez permis. 3. a appris. 4. a promis. 5. as compris.

9

1. avons dit. 2. a interdit. 3. a prédit. 4. ont contredit. 5. a récrit (ou réécrit).

10

1. a conduit. 2. ont construit. 3. a détruit. 4. a produit. 5. as séduit.

11

1. a offert. 2. a ouvert. 3. as découvert. 4. avez souffert. 5. ont ouvert.

12

1. ont éteint. 2. j'ai craint. 3. avons plaint. 4. as joint. 5. a rejoint.

13

1. as fait. 2. ont ri. 3. avons vécu. 4. a souri. 5. ont survécu. 6. a assis. 7. J'ai défait. 8. a conquis. 9.il a recousu. 10. avez refait.

14

A

1. est arrivé. 2. est entrée. 3. sont tombés. 4. est restée. 5. sommes venus. 6. sont revenues. 7. sont partis. 8. sont morts. 9. sont devenus. 10. est née.

B

1. Il a monté. Il est monté. 2. J'ai passé. Je suis passé (e). 3. J'ai rentré. Fabrice est rentré. 4. La cuisinière a sorti. Les voleurs sont sortis. 5. Elle a retourné. Elle est retournée.

15

A

1. Oui, nous avons fait des courses.. Non, nous n'avons pas fait de courses...
2. Oui, ils ont passé... Non, ils n'ont pas passé...
3. Oui, j'ai perdu... Non, je n'ai pas perdu...
4. Oui, il a vu... Non, il n'a pas vu...5. Oui, nous avons regardé... Non, nous n'avons pas regardé...

B

1. Oui, ils ont déjà gagné... Non, ils n'ont pas encore gagné...
2. Oui, j'ai toujours eu de la chance... Non, je n'ai jamais eu de chance...
3. Oui, j'ai tout compris. Non, je n'ai rien compris.
4. Oui, il a mangé quelque chose... Non, il n'a rien mangé...
5. Oui, j'ai rencontré quelqu'un... Non, je n'ai rencontré personne.

16

1. Qui a compris... ? Qui est-ce qui a compris... ?
2. Pourquoi a-t-il refusé... ? Pourquoi est-ce qu'il a refusé... ?
3. Quand êtes-vous arrivé... ? Quand est-ce que vous êtes arrivé... ?
4. Comment ont-ils trouvé... ? Comment est-ce qu'ils ont trouvé... ?
5. Où sont-elles parties... ? Où est-ce qu'elles sont parties.. ?
6. Quel livre avez-vous lu... ? Quel livre est-ce que vous avez lu... ?
7. Dans quelle banque a-t-elle ouvert... ? Dans quelle banque est-ce qu'elle a ouvert un compte... ?
8. Combien ai-je dépensé... ? Combien est-ce que j'ai dépensé... ?
9. Comment a-t-il survécu... ? Comment est-ce qu'il a survécu... ?
10. Combien de temps es-tu resté(e)... ? Combien de temps est-ce que tu es resté(e) malade ?

17

1. A ; 2. B ; 3. C ; 4. C ; 5. A ; 6. C ; 7. A ; 8. B ; 9. C ; 10. B

18

1. Ce matin, il a fallu partir très tôt.
2. Hier soir, j'ai attendu ton coup de téléphone.
3. Dimanche dernier, le champion a battu un record.
4. À sept heures du matin, il a mis son manteau et il est parti.
5. Il y a quelques minutes, le téléphone a sonné.
6. Il y a plusieurs jours, Bertrand est revenu de Roumanie.
7. Il y a quelques mois, il a vécu une aventure étrange.
8. La semaine dernière, j'ai déjà rempli ce formulaire.
9. La nuit dernière, nous avons pris un taxi pour rentrer.
10. Pendant deux jours, Gérard a dormi sans arrêt.
11. De huit heures à midi, il a beaucoup plu.
12. Jusqu'à onze heures du soir, il y a eu du bruit dehors.
13. Le 28 juillet 1989, Pauline est née à Grenoble.
14. Tout à coup, le chauffeur a perdu le contrôle de sa voiture.
15. Soudain, le ciel est devenu très sombre et l'orage a commencé.
16. J'ai tout expliqué à Charles. Il a compris tout de suite.
17. En 1793, beaucoup de nobles français ont quitté leur pays.
18. Après son retour, Xavier a offert une grande fête à ses amis.
19. Alexandre a disparu quelques jours, puis il a écrit une...
20. L'accusé a longtemps menti mais il a enfin avoué.

19

1. vient d'atterrir. a décollé. 2. est parti. vient de sortir. 3. ont applaudi. vient de commencer. 4. a été. On vient de finir. 5. vient de partir. est arrivé.

20

A

1. sont entrés, a applaudi. 2. tu as entendu, j'ai dormi. 3. tu as bien ri, tu es allé. 4. elle a aperçu, elle a poussé. 5. a sonné ? nous n'avons rien entendu.

B

1. je vous ai téléphoné, vous étiez. 2. elle a ouvert, brillait. 3. Elle était, elle a eu peur, elle est tombée. 4. était, il est devenu. 5. venait, a jeté.

21

A

dormait… a sonné… a couru..., il a répondu mais il a entendu..., qu'il ne connaissait pas. C'était... Il est retourné...

B

est rentrée... Elle se sentait triste ; elle voulait parler..., mais elle vivait... . Alors, elle a un peu pleuré et puis elle a réfléchi : il fallait sortir... ..., tout allait déjà mieux.

C

..., Myriam a ouvert... . Il faisait très beau, c'était... . Elle a sauté..., elle a déjeuné, elle a fait..., elle a mis... et elle est sortie. Les rues semblaient... mais... beaucoup de monde se promenait.

D

Il était trois heures... Antoine avait très faim. Alors, il est revenu... ; il a ouvert..., et il a commencé... : il a fait..., puis il a mangé... . Ensuite, il a pris... . Ainsi, il allait pouvoir... .

E

Ce matin, j'ai décidé... . Il venait... ; ce n'était pas..., mais il devait rester... . Avant de partir, j'ai choisi... : c'était un reportage... . Je savais que Robert aimait... Je suis monté..., et je suis descendu... ; j'ai acheté... et je suis entré... . Je ne suis resté que... . J'ai donné... et je suis reparti. Robert semblait en bonne forme.

F

Sabine détestait..., mais..., elle a regardé... : ils paraissaient...! Il fallait les couper ; elle a pris... . Quand elle est arrivée, il coiffait... . Alors, elle a eu le temps de... ; puis le coiffeur est venu... et il a demandé comment il pouvait la coiffer. La coupe et le séchage... ont duré..., Sabine a souri... et elle est ressortie...

G

— Jean, comment as-tu connu Sarah ?
—La première fois que j'ai vu Sarah, elle était..., elle accueillait... . Elle semblait..., mais j'ai pensé que cela faisait partie... . Ensuite, j'ai posé... que je voulais faire et j'ai proposé... . Elle m'a regardé... et elle a accepté ; nous sommes allés dîner...
..., elle m'a passé... ; à ce moment-là, j'ai senti que je lui plaisais aussi. Tout à coup, j'ai compris : c'était la femme de ma vie!

H

C'était... Victor Fournier rentrait... . Il avait envie de... . Mais quand il est arrivé..., il a vu... . Il y avait...! ..., beaucoup d'enfants étaient... et attendaient... . Victor le savait. Alors, ..., il a couru, a monté..., il a appelé... et il a conduit...
Les pompiers sont arrivés... et tous les enfants ont pu être sauvés. ..., Victor Fournier est devenu...

CHAPITRE 16

Le plus-que-parfait de l'indicatif

1

A

1. J'avais été.
2. Tu avais eu.
3. Notre fils avait eu.
4. Nos parents avaient été.
5. Nous n'avions pas eu.
6. Nous avions été.
7. Vous n'aviez eu.
8. Vous aviez été.
9. On n'avait pas eu.
10. Ç'avait été.

B

1. Nous avions mangé.
2. Ils n'avaient pas encore fini.
3. Vous aviez ouvert.
4. J'avais mis.
5. Il n'avait pas pu.
6. Elle avait écrit.
7. Nous avions fait.
8. Vous n'aviez pas compris.
9. J'avais servi.
10. avait déjà peint.

2

1. nous étions allés. 2. Vous étiez restés. 3. Il n'était jamais venu. 4. Il était parti. 5. Et il était arrivé. 6. Son avion avait eu. 7. Nous étions entrés. 8. Et nous étions repartis. 9. Il était sorti. 10. Nous étions rentrés.

3

1. Avais-tu descendu? 2. Elles n'étaient pas encore descendues. 3. J'avais monté. 4. Nous étions déjà montés. 5. Aviez-vous sorti? 6. François était sorti. 7. Est-ce que tu avais rentré? 8. ... et Paul n'était pas encore rentré. 9. Vous aviez passé. 10. Il n'était jamais passé.

4

A

1. J'avais déjà lu. 2. Elle avait déjà vu. 3. Françoise et Catherine étaient déjà parties. 4. Nous avions déjà pris. 5. Nous étions déjà allés.

B

1. Il avait mangé, il avait fait. 2. Nous avions enfin compris. 3. Vous aviez chanté. 4. ... et je n'avais pas fini. 5. Pierre avait bu.

C

1. Il avait plu. 2. Ils avaient conduit. 3. Elle avait marché. 4. Nous n'avions pas encore fini. 5. ... j'étais déjà passé.

5

Ils avaient téléphoné. Ils étaient allés. Ils avaient rempli. Ils avaient fait. Ils avaient déposé. Ils avaient attendu. Ils avaient reçu. Ils étaient venus. Ils avaient payé. Et ils avaient obtenu!

6

A

..., toute la famille était énervée. ..., mon père avait vérifié..., ma mère avait rangé... et avait fermé...
Puis, le moment de partir arrivait : c'était...
... nous courions..., nous entrions... . ... nous avions laissé... nous retrouvions... . Rien n'avait changé, personne n'avait déplacé... ils avaient attendu... . Ils pouvaient..., ils redevenaient...

B

C'était..., il neigeait. J'étais malade et j'avais froid. Je n'avais pas pu... et j'attendais... . Nous avions pris... car c'était... j'étais...!
Pourquoi Jacques ne revenait-il pas ? Je commençais...
Enfin, il était là! La pièce avait duré... et, heureusement, il avait attrapé...!

CHAPITRE 17

L'impératif

1

1. Sois. 2. Aie. 3. Ne soyez pas. 4. Ayez. 5. Soyons. 6. N'ayons pas. 7. N'aie pas. 8. Aie. 9. Soyons. 10. Soyez.

2

A

— Chante! — Danse! — Mange! — Achète! — Voyage! — Rencontre! — Profite! — Ne pense plus! — Ne pleure plus! — N'ennuie personne!

B

— Essayons. — Commençons. — Et rangeons.

C

— Regardez. — Admirez. — Contemplez. — Observez.

3

1. Réfléchis. 2. Remplis. 3. Choisis. 4. Finis vite! 5. Ne rougissez pas. 6. Applaudissons. 7. Ne punissez pas. 8. Ne salis pas. 9. Obéis. 10. Réunissons.

4

1. Viens, voyons...! 2. Fais attention, ne crois pas! 3. Tiens ton petit frère, partez! 4. Dormez, faites! 5. Ne bois pas tant. Ne buvons pas...! 6. éteins la lumière, éteignez. Ne craignez rien! 7. Prends ton temps, ne réponds pas, ne dis pas! 8. Offre, ouvre! 9. Va chercher, allons! 10. Vendons, prenons!

5

A

1. Signez. 2. Réglez. 3. Mettez. 4. Compostez. 5. Attachez. 6. Traversez. 7. Roulez. 8. Tenez. 9. Eteignez. 10. Obéissez.

B

1. Ne fumez pas. 2. Ne jetez rien. 3. Ne sortez pas... sans payer vos achats! 4. Ne descendez pas. 5. N'entrez pas. 6. N'ouvrez pas. 7. Ne tirez pas. 8. Ne stationnez pas. 9. Ne faites pas. 10. Ne mettez pas.

6

A

1. Faites sortir...
2. Étalez...
3. Laissez sécher.
4. Prenez...
5. Et frottez...

B

1. Appliquez...
2. Répartissez et massez...
3. Attendez...
4. Rincez...
5. Recommencez...

C

Mélangez. Battez le tout. Ajoutez. Remuez. Prenez et intégrez-la. Attendez puis mettez. Servez...

D

Ne dormez pas. Mangez. Buvez. Fumez. Voyez. Soyez. Ne vous reposez pas. Ne vous détendez jamais. Suivez ces conseils.

CHAPITRE 18

Les compléments d'objet direct et indirect

1

A

1. Vous portez des lunettes.
2. Ils ont regardé la télévision.
3. Tu aimes ton quartier.
4. Elle mange une quiche lorraine.
5. Ils commençaient leurs études.

B

1. La concierge parlait aux locataires du 8ème étage.
2. Ils jouent au tennis.
3. Ce livre appartient à Martine.
4. Cet enfant manque à ces parents.
5. Ces histoires plairont à ses enfants.

C

1. Les étudiants parlent de leurs professeurs.
2. Sabine joue du piano.
3. Sébastien a besoin d'un nouveau blouson.
4. Vous allez changer d'appartement.
5. Cette pièce manque de soleil.

2

A *Par exemple :*

1. son studio. 2. de la musique classique. 3. mon ami. 4. le journal. 5. une lettre d'Argentine. 6. moi. 7. au garagiste. 8. ce problème. 9. ton directeur. 10. ma mère. 11. des chiens. 12. sa jeunesse. 13. d'un éclair au chocolat. 14. vitamines. 15. coiffure.

B *Par exemple :*

1. Stéphane a. 2. Ne mets pas. 3. Ils aiment jouer. 4. Ce musicien joue. 5. J'ai envie. 6. Je vais téléphoner. 7. Nous parlons. 8. Je pense. 9. Je ne connais pas. 10. Nous manquons toujours. 11. Tu perds. 12. Cette maison appartient. 13. Il n'a pas expliqué. 14. L'entraîneur parle. 15. Va changer.

3

A

1. Mon sac. J'ai oublié mon sac.
2. Tous mes amis. J'ai invité tous mes amis.
3. Une revue. Je lis une revue.
4. Un acteur célèbre. J'ai vu un acteur célèbre.
5. Un jus de fruits. Je bois un jus de fruits.

B

1. À Greta Garbo. Elle ressemble à Greta Garbo.
2. D'un bon café. J'ai envie d'un bon café.
3. Du contrôleur. J'ai peur du contrôleur.
4. Je pense aux événements politiques.
5. Il joue de la flûte.

C

1. À quoi pensez-vous (penses-tu) ? 2. Que bois-tu ? 3. Qui attendez-vous ? 4. De qui parlez-vous ? 5. De quoi as-tu peur ?

4

1. Pas de préposition. 2. de. 3. pas de préposition. 4. pas de préposition . 5. de. 6. pas de préposition. 7. pas de préposition. 8. à. 9. à. 10. de.

5

1. Je veux changer de quartier.
2. Les enfants obéissent à la jeune fille au pair.
3. J'aime le théâtre.
4. La vie d'étudiante plaît à Stéphanie.
5. Les plantes ont besoin d'eau.
6. Les jeunes écoutent la radio.
7. Cette maison ressemble à celle de ma grand-mère.
8. Quand avez-vous rencontré ce garçon ?
9. Profitez bien de votre séjour en France.
10. Il ne faut pas parler au conducteur de l'autobus.11. Il parle souvent de sa sœur.
12. Je ne joue jamais au Loto.
13. Elle joue très bien de la guitare.
14. Ses amis manquent à Carine.
15. Elle manque de sommeil.

6

A

1. Il (ne) dit (pas) la vérité à sa femme.
2. Le vendeur explique le fonctionnement de la machine à une cliente.
3. Elle téléphone son heure d'arrivée à ses parents.
4. J'ai écrit une lettre à Gaston.
5. Nous souhaitons la bonne année à notre grand-mère.
6. Il (ne) promet (pas) le mariage à la jeune fille.
7. L'actrice raconte sa vie aux journalistes.
8. Tu as donné des timbres de collection à ton petit frère.

9. Les invités offrent des fleurs à la maîtresse de maison. 10. Il (ne) prête sa voiture (qu') aux bons conducteurs.
11. Elle a emprunté plusieurs livres à ses amis.
12. Ils louent leur appartement à une vieille dame.
13. Sa mère enverra un paquet à Justine.
14. Paul montre son nouvel appareil photo à ses cousins.
15. Ce chef d'entreprise propose du travail à un chômeur.

B

1. Ils remercient leurs amis de leur invitation.
2. Le propriétaire informe les locataires d'une augmentation...
3. Tous ont félicité Eric de son succès à l'examen.

C

1. J'ai reçu une carte postale de Frédéric.
2. Il attend un coup de téléphone d'une amie.
3. Vous n'obtiendrez pas de réduction de ce commerçant.

7

A

1. Anne a dit à ses amis de venir à 20 heures.
2. L'institutrice permet aux élèves de travailler en groupes.
3. Les parents défendent aux enfants de regarder la télévision.
4. Tu as promis à Bérénice de ne pas l'oublier.
5. L'hôtesse a conseillé aux passagers de rester à leur place.

B

1. Le gagnant invite ses amis à boire une coupe de champagne.
2. Le brouillard oblige les pilotes à atterrir sans visibilité.
3. Beaucoup d'amis ont aidé Béatrice à déménager.

C

1. Il remercie le public d'applaudir son spectacle.
2. Une maladie a empêché Vanessa de suivre ces cours.
3. J'ai persuadé mon ami de venir avec moi à l'opéra.

8

A

1. déteste marcher. 2. Nous préférons nager. 3. souhaite réussir. 4. Ils désirent boire. 5. Ils ne veulent pas divorcer.

B

1. Alix commence à danser.
2. Les athlètes continuent à courir.
3. Vincent apprend à dessiner.
4. Thomas cherche à dormir.
5. Nous venons de décider de partir.
6. Ils demandent de payer en plusieurs fois.
7. Le vieil homme refuse de changer.
8. Dans ma rue, on va interdire de circuler.
9. Les enfants arrêtent de jouer.
10. Maud m'a proposé de fumer une cigarette.

C

1. Nous avons décidé l'achat d'un ordinateur. 2. conseille l'arrêt du traitement. 3. Je commence la traduction d'un roman. 4. Tu n'oublies jamais la fête de Noël. 5. permettent l'information des lecteurs.

9

d'aller — de cette idée ? oublié de faire les courses. je commençais à m'inquiéter.
— d'un nouveau — l'on sert des plats.
— de me réchauffer — de quelque chose. téléphoner au patron — retenir une table.
— apporte la carte aux jeunes gens et attend leur commande — à Bertrand.
— pas de charme. Regardons la carte — demandons au garçon de nous aider à faire.
— conseille de prendre d'abord une soupe — à nos clients. devriez essayer le plat. recommande de goûter notre tarte.
— simplement un bon — et une bouteille.

CHAPITRE 19

Les verbes pronominaux

1

A

1. se réveille et se lève. 2. il se douche et se lave. 3. il se rase, se brosse les dents et se coiffe. 4. il s'habille et s'approche de. 5. il s'installe.

B

1. s'est réveillé et s'est levé. 2. il s'est douché et s'est lavé. 3. il s'est rasé, s'est brossé... et s'est coiffé. 4. il s'est habillé et s'est approché. 5. il s'est installé.

C

1. Tu te sens mal et tu te couches.
2. Il se sent mal et il se couche.
3. Nous nous sentons mal et nous nous couchons.
4. Vous vous sentez mal et vous vous couchez.
5. Ils se sentent mal et ils se couchent.

D

1. le champion s'entraînera, se fatiguera, se fera mal et il se reposera.
2. les enfants s'amuseront et se saliront.
3. tu t'inquièteras, et tu te nourriras mieux.
4. je me déciderai, et je me lancerai.
5. Vous ne vous habituerez peut-être pas, mais vous ne vous découragerez pas.

E

1. Nous nous promenions, nous nous intéressions. 2. tu te perdais, tu t'informais. 3. l'accusé se défendait, puis il s'asseyait. 4. Julia s'excusait et s'installait. 5. les dessins animés se terminaient.

2

1. Alain et Anne se rencontrent.
2. ils se regardent, ils se parlent.
3. ils se souhaitent.
4. Ils se tendent la main et ils se quittent.
5. ils se téléphonent et ils se revoient.
6. ils s'entendent bien, ils se sentent, ils se plaisent.
7. ils ne se comprennent pas, ils se disputent, et même ils se battent.
8. Ils se séparent, mais ils ne s'oublient pas.
9. ils s'écrivent, ils se connaissent.
10. ils se marient.

3

1. les gens s'en vont.
2. il se dépêche et il se met à courir.
3. tu t'apercevras de...
4. se plaignait.
5. je m'arrêterai, je me passerai.
6. nous nous trouvons.
7. il se tait.
8. Que s'est-il passé ?
9. tu te souviendras de...
10. s'est rendu compte, s'est envolé.
11. Anne s'évanouissait.
12. Jean ne s'est jamais servi de.
13. Rémi s'occupait de.
14. Tu te moques.
15. Vous vous êtes fâché et l'enfant s'est mis à.

4

1. Je veux m'en aller.
2. Est-ce que tu peux te taire ?
3. Nous devons nous rendre à Tokyo.
4. Est-ce que vous savez vous occuper d'un enfant ?
5. Ils préfèrent ne pas se promener le soir.
6. Nous détestons nous coucher tôt.
7. Ce discours va bientôt se terminer.
8. La fillette vient de se faire mal.
9. Tes parents commencent à s'inquiéter.
10. Est-ce que tu continues à t'entraîner tous les matins ?

5

A

1. a aperçu, s'apercevra.
2. mets, se mettent.
3. a décidé, s'est décidé.
4. j'ai trouvé, se trouve.
5. attendons, s'attendaient.
6. sert, vous vous servez.
7. a passé, tu te passes.
8. ont pris, se prend.
9. rendent, s'est rendu.
10. n'entend, s'entendaient.

B

1. Laurence attend un ami. Tout à coup, elle s'aperçoit de son retard. Elle décide alors de partir.

Elle se rend à son bureau, et là, elle trouve un message de son ami.

2. ... Je m'attends à une surprise. J'entends sonner. Je me mets à courir et j'ouvre la porte. J'aperçois un gros bouquet de fleurs et trois têtes. Je prends les fleurs et je me décide à faire entrer mes amis. Je sers à boire à tout le monde. Je mets un disque. Nous passons un très bon après-midi.

CHAPITRE 20

Les pronoms personnels

1

A

1. Moi. 2. Toi. 3. Vous. 4. Nous. 5. elle. 6. lui. 7. eux. 8. elles. 9. Toi. 10. Moi.

B

1. toi. 2. nous. 3. eux. 4. lui. 5. vous? 6. moi. 7. elle. 8. elles. 9. moi. 10. toi (vous).

2

A

1. Oui, je le vois. Non, je ne le vois pas.
2. Oui, je les regarde. Non, je ne les regarde pas.
3. Oui, je l'entends. Non, je ne l'entends pas.
4. Oui, je les crains. Non, je ne les crains pas.
5. Oui, il la déteste. Non, il ne la déteste pas.

B

1. Oui, je le connais. Non, je ne le connais pas.
2. Oui, je l'écoute souvent. Non, je ne l'écoute pas souvent.
3. Oui, je les achèterai. Non, je ne les achèterai pas.
4. Oui, je la crois. Non, je ne la crois pas.
5. Oui, je le mangerai. Non, je ne le mangerai pas.

C

1. Oui, il les perd. Non, il ne les perd pas.
2. Oui, il le met souvent. Non, il ne le met pas souvent.
3. Oui, je la porte toujours. Non, je ne la porte pas toujours.
4. Oui, je les emporterai. Non, je ne les emporterai pas.
5. Oui, je l'ai trouvé. Non, je ne l'ai pas trouvé.

D

1. Oui, il la regarde tendrement.
2. Oui, il l'aimait.
3. Oui, il la séduit.
4. Oui, il l'adorait.
5. Oui, il l'a tué.

E

1. Oui, je l'ai visitée. Non, je ne l'ai pas visitée.
2. Oui, je les ai aimés. Non, je ne les ai pas aimés.
3. Oui, je l'ai regardée. Non, je ne l'ai pas regardée.
4. Oui, je les ai cherchées. Non, je ne les ai pas cherchées.
5. Oui, il l'a épousée. Non, il ne l'a pas épousée.

3

A

1. Oui, il lui ressemble. Non, il ne lui ressemble pas.
2. Oui, je leur ai téléphoné. Non, je ne leur ai pas téléphoné.
3. Oui, je lui rendrai visite. Non, je ne lui rendrai pas visite.
4. Oui, je leur ai dit merci. Non, je ne leur ai pas dit merci.
5. Oui, elle lui a souri. Non, elle ne lui a pas souri.
6. Oui, je leur ai rendu service. Non, je ne leur ai pas rendu service.
7. Oui, il lui obéit. Non, il ne lui obéit pas.
8. Oui, je leur ai écrit. Non, je ne leur ai pas écrit.
9. Oui, je lui ai répondu. Non, je ne lui ai pas répondu.
10. Oui, elle lui plaît. Non, elle ne lui plaît pas.

B

1. Oui, j'ai pensé à elle. Non, je n'ai pas pensé à elle.
2. Oui, elle pense un peu à eux. Non, elle ne pense pas (du tout) à eux.
3. Oui, elle tient à lui. Non, elle ne tient pas à lui.
4. Oui, je tiens à eux. Non, je ne tiens pas à eux.
5. Oui, il s'intéresse à elle. Non, il ne s'intéresse pas à elle.

C

1. Oui, il parle souvent d'elles. Non, il ne parle pas souvent d'elles.
2. Oui, j'ai besoin d'eux. Non, je n'ai pas besoin d'eux.
3. Oui, nous avons peur de lui. Non, nous n'avons pas peur de lui.
4. Oui, il est fier de lui. Non, il n'est pas fier de lui.
5. Oui, elle s'occupe bien d'elle. Non, elle ne s'occupe pas bien d'elle.

4

A

1. Oui, j'en ai un. Non, je n'en ai pas.
2. Oui, j'en veux un. Non, je n'en veux pas.
3. Oui, j'en vois une. Non, je n'en vois pas.

4. Oui, nous en ferons un. Non, nous n'en ferons pas.
5. Oui, j'en ai bu une. Non, je n'en ai pas bu.

B

1. Oui, j'en ai cueilli. Non, je n'en ai pas cueilli.
2. Oui, j'en dis souvent. Non, je n'en dis jamais.
3. Oui, j'en lis parfois. Non, je n'en lis jamais.
4. Oui, j'en écrirai. Non, je n'en écrirai pas.
5. Oui, j'en écoute. Non, je n'en écoute pas.

C

1. Ils en ont 3 (4 etc.). Ils n'en ont aucun (pas un seul).
2. J'en fume 5 ou 6. Je n'en fume aucune (pas une seule).
3. J'en vois 2 ou 3. Je n'en vois aucun (pas un seul).
4. J'en visiterai un ou deux. Je n'en visiterai aucun (pas un seul).
5. J'en mets un. Je n'en mets aucun (pas un seul).

D

1. Oui, j'en ai vu plusieurs. Non, je n'en ai vu aucun.
2. Oui, j'en ai pris quelques-unes. Non, je n'en ai pris aucune.
3. Oui, j'en ai lu plusieurs. Non, je n'en ai lu aucun.
4. Oui, j'en ai encore quelques-uns. Non, je n'en ai plus aucun.
5. Oui, j'en ai encore quelques-unes. Non, je n'en ai plus aucune.

E

1. Oui, j'en ai. Non, je n'en ai pas.
2. Oui, il en a. Non, il n'en a pas.
3. Oui, j'en ai acheté. Non, je n'en ai pas acheté.
4. Oui, j'en bois souvent. Non, je n'en bois pas souvent (jamais).
5. Oui, j'en reprendrai un peu. Non, je n'en reprendrai pas.

F

1. Oui, j'en lis beaucoup. Non, je n'en lis pas beaucoup (j'en lis peu).
2. Oui, j'en veux un peu. Non, je n'en veux pas du tout.
3. Oui, j'en aurai assez. Non, je n'en aurai pas assez.
4. Oui, elle en boit trop. Non, elle n'en boit pas trop (pas du tout).
5. Oui, j'en prendrai un peu. Non, je n'en prendrai pas du tout.

5

A

1. Oui, elle en a besoin. Non, elle n'en a pas besoin.
2. Oui, j'en joue. Non, je n'en joue pas.
3. Oui, j'en ai peur. Non, je n'en ai pas peur.
4. Oui, ils en parlent souvent. Non, ils n'en parlent pas souvent.
5. Oui, j'en fais partie. Non, je n'en fais pas partie.

B

1. Oui, j'en viens. Non, je n'en viens pas.
2. Oui, nous en revenons. Non, nous n'en revenons pas.
3. Oui, elle en vient. Non, elle n'en vient pas.
4. Il en est sorti à dix heures.
5. J'en sortirai bientôt.

6

A

1. Oui, j'y ai pensé. Non, je n'y ai pas pensé.
2. Oui, j'y ai réfléchi. Non, je n'y ai pas réfléchi.
3. Oui, j'y ai assisté. Non, je n'y ai pas assisté.
4. Oui, j'y penserai. Non, je n'y penserai pas.
5. Oui, elle y tient (beaucoup). Non, elle n'y tient pas (du tout).

B

1. Oui, j'y vais souvent. Non, je n'y vais pas souvent (jamais).
2. Oui, il y est. Non, il n'y est pas.
3. Oui, j'y suis déjà allé. Non, je n'y suis pas encore allé.
4. Oui, j'irai (bientôt). Non, je n'irai pas.
5. Oui, nous y habitons toujours. Non, nous n'y habitons plus.

7

A

1. Fermez-la! Ne la fermez pas! 2. Appelle-le! Ne l'appelle pas! 3. Attends-les! Ne les attends pas! 4. Mets-les! Ne les mets pas! 5. Range-la! Ne la range pas!

B

1. Ecris-lui! Ne lui écris pas! 2. Réponds-leur! Ne leur réponds pas! 3. Souriez-leur! Ne leur souriez pas! 4. Explique-lui...! Ne lui explique pas...!
5. Dis-lui...! Ne lui dis pas...!

C

1. Manges-en! N'en mange pas! 2. Bois-en! N'en bois pas! 3. Prends-en! N'en prends pas! 4. Parles-en! N'en parle pas! 5. Sors-en! N'en sors pas!

D

1. Restes-y! N'y reste pas! 2. Vas-y! N'y va pas!
3. Allez-y! N'y allez pas!4. Pensez-y! N'y pensez pas! 5. Réfléchissez-y! N'y réfléchissez pas!

8

1. Je l'écoute.
2. Je lui parle.
3. Il les surveille.
4. Il leur répond.

5. Elle la regarde.
6. Elle lui sourit.
7. Paul la séduit.
8. Il lui plaît.
9. Nicolas l'adore.
10. Mais il ne lui obéit pas.

9

1. Oui, je les vois. Non, je ne les vois pas.
2. Oui, j'en vois. Non, je n'en vois pas.
3. Oui, je le mangerai. Non, je ne le mangerai pas.
4. Oui, j'en mangerai un. Non, je n'en mangerai pas.
5. Oui, je l'achèterai. Non, je ne l'achèterai pas.
6. Oui, j'en achèterai une. Non, je n'en achèterai pas.
7. Oui, je les ai trouvées. Non, je ne les ai pas trouvées.
8. Oui, j'en ai trouvé. Non, je n'en ai pas trouvé.
9. Oui, je l'ai écoutée. Non, je ne l'ai pas écoutée.
10. Oui, j'en ai écouté. Non, je n'en ai pas écouté.

10

1. Oui, je lui ai téléphoné. Non, je ne lui ai pas téléphoné.
2. Oui, j'y ai réfléchi. Non, je n'y ai pas réfléchi.
3. Oui, je lui ai écrit. Non, je ne lui ai pas écrit.
4. Oui, j'y assisterai. Non, je n'y assisterai pas.
5. Oui, je lui ai répondu. Non, je ne lui ai pas répondu.
6. Oui, il y habite toujours. Non, il n'y habite plus.
7. Oui, je pense à lui. Non, je ne pense pas à lui.
8. Oui, j'y pense. Non, je n'y pense pas.
9. Oui, je tiens à lui. Non, je ne tiens pas à lui.
10. Oui, j'y tiens. Non, je n'y tiens pas.

11

1. Oui, il y en a une. Non, il n'y en a pas.
2. Oui, il y en a. Non, il n'y en a pas.
3. Oui, il y en aura. Non, il n'y en aura pas.
4. Oui, il y en aura beaucoup. Non, il n'y en aura pas beaucoup.
5. Oui, il y en a. Non, il n'y en a pas.
6. Oui, il y en a eu un. Non, il n'y en a pas eu.
7. Oui, il y en a plusieurs (3, 4, etc.). Non, il n'y en a aucun.
8. Oui, il y en a eu une. Non, il n'y en a pas eu.
9. Oui, il y en avait quelques-uns. Non, il n'y en avait aucun.
10. Oui, il y en avait assez. Non, il n'y en avait pas assez.

12

1. Oui, nous y allons. Non, nous n'y allons pas.
2. Oui, nous en venons. Non, nous n'en venons pas.
3. Oui, j'y suis resté longtemps. Non, je n'y suis pas resté longtemps.
4. Oui, j'en suis sorti avant toi. Non, j'en suis sorti après toi.
5. Oui, ils y habitent. Non, ils n'y habitent pas.
6. Oui, ils en reviennent. Non, ils n'en reviennent pas.
7. Oui, j'y ai réfléchi. Non, je n'y ai pas réfléchi.
8. Oui, j'en ai parlé. Non, je n'en ai pas parlé.
9. Oui, j'y pense. Non, je n'y pense pas.
10. Oui, j'en ai peur. Non, je n'en ai pas peur.

13

1. Oui, j'en ai besoin. Non, je n'en ai pas besoin.
2. Oui, j'ai besoin d'elle. Non, je n'ai pas besoin d'elle.
3. Oui, j'en parlerai. Non, je n'en parlerai pas.
4. Oui, je parlerai de lui. Non, je ne parlerai pas de lui.
5. Oui, j'en ai peur. Non, je n'en ai pas peur.
6. Oui, j'ai peur d'eux. Non, je n'ai pas peur d'eux.
7. Oui, il est content d'elle. Non, il n'est pas content d'elle.
8. Oui, il en est content. Non, il n'en est pas content.
9. Oui, il est fier de lui. Non, il n'est pas fier de lui.
10. Oui, il en est fier. Non, il n'en est pas fier.

14

1. Téléphone-lui!
2. Va chez lui!
3. Sors avec lui!
4. Ne lui dis rien!
5. Ne leur réponds pas!
6. Pense à lui!
7. N'aie pas peur de lui!
8. Parles-en!
9. Vas-y!
10. Penses-y!

15

A

1. Oui, nous vous croyons. Non, nous ne vous croyons pas.
2. Oui, ils nous invitent parfois. Non, ils ne nous invitent jamais.
3. Oui, je t'entends, je te vois. Non, je ne t'entends pas, je ne te vois pas.
4. Oui, je t'aime, je t'épouserai. Non, je ne t'aime pas, je ne t'épouserai pas.
5. Oui, il me déteste vraiment. Non, il ne me déteste pas vraiment.

B

1. Oui, je t'ai compris(e). Non, je ne t'ai pas compris(e).
2. Oui, nous vous avons vu(e)s... Non, nous ne vous avons pas vu(e)s...
3. Oui, il m'a regardée. Non, il ne m'a pas regardée.
4. Oui, il nous a remercié(e)s. Non, il ne nous a pas remercié(e)s.
5. Oui, il nous a invité(e)s. Non, il ne nous a pas invité(e)s.

C

1. Oui, je me lèverai tard... Non, je ne me lèverai pas tard...
2. Oui, nous nous verrons... Non, nous ne nous verrons pas...
3. Oui, je me promènerai... Non, je ne me promènerai pas...
4. Oui, ils se détesteront toujours. Non, ils ne se détesteront pas toujours.
5. Oui, ils s'aimaient. Non, ils ne s'aimaient pas.

16

A

1. Oui, je t'écrirai. Non, je ne t'écrirai pas.
2. Oui, tu me répondras. Non, tu ne me répondras pas.
3. Oui, je vous répéterai toujours... . Non, je ne vous répéterai pas toujours...
4. Oui, il me plaît. Non, il ne me plaît pas.
5. Oui, elle nous rend visite quelquefois. Non, elle ne nous rend jamais visite.

B

1. Oui, il nous a écrit. Non, il ne nous a pas écrit.
2. Oui, il m'a répondu. Non, il ne m'a pas répondu.
3. Oui, je t'ai parlé. Non, je ne t'ai pas parlé.
4. Oui, je vous ai demandé quelque chose. Non, je ne vous ai rien demandé.
5. Oui, il m'a obéi. Non, il ne m'a pas obéi.

C

1. Oui, nous nous téléphonons... Non, nous ne nous téléphonons pas...
2. Oui, ils se sont dit bonjour. Non, ils ne se sont pas dit bonjour.
3. Oui, je me demande... Non, je ne me demande pas...
4. Oui, nous nous sommes déjà parlé. Non, nous ne nous sommes jamais parlé.
5. Oui, nous nous plaisons. Non, nous ne nous plaisons pas.

D

1. Oui, je tiens à toi. Non, je ne tiens pas à toi.
2. Oui, nous avons pensé à vous. Non, nous n'avons pas pensé à vous.
3. Oui, il s'intéresse à moi. Non, il ne s'intéresse pas à moi.
4. Oui, elle pense souvent à nous. Non, elle ne pense jamais à nous.

E

1. Oui, j'ai besoin de toi. Non, je n'ai pas besoin de toi.
2. Oui, il a parlé de nous. Non, il n'a pas parlé de nous.
3. Oui, je suis content de vous. Non, je ne suis pas content de vous.
4. Oui, il est fier de moi. Non, il n'est pas fier de moi.

17

A

1. Ne m'écoute pas!
2. Ne nous écris pas!
3. Ne t'assieds pas!
4. Ne me laisse pas seul!
5. Ne vous mettez pas là!
6. Ne me téléphone pas!
7. Ne me présente pas ton mari!
8. Ne te lève pas!
9. Ne vous habillez pas!
10. Ne pense pas à nous!

B

1. Ecrivez-nous!
2. Suivez-moi!
3. Asseyez-vous là!
4. Couche-toi!
5. Dis-nous quelque chose!
6. Donne-moi quelque chose!
7. Embrasse-moi!
8. Pense à moi!
9. Réponds-moi!
10. Attendez-nous!

18

A

1. Il m'a proposé de l'argent, mais j'ai refusé.
2. Est-ce que tu pourras nous aider à déménager ?
3. Est-ce que Cédric t'a téléphoné hier ?
4. Parle plus fort, je ne te comprends pas.
5. Cet appartement ne nous plaît pas du tout, il est trop petit.
6. Est-ce que les Bidaut vous ont invités dans leur maison de campagne ?
7. J'ai écrit à Marine, mais elle ne m'a pas encore répondu.
8. Pense à moi, ne m'oublie pas!
9. Je t'écrirai souvent, je te le promets.
10. Est-ce que Peter vous a parlé de son voyage aux Bahamas ?

B

Cyril m'a vue... . Il m'a appelée, il m'a parlé, il m'a raconté... . Puis il m'a quittée...
Il m'a téléphoné..., il m'a donné rendez-vous. Il m'a proposé... . Là, il m'a regardée..., il m'a interrogée, il m'a écoutée, il m'a demandé... . Il m'a dit... . Il m'a promis...

19

A

1. Oui, je la lui remettrai. Non, je ne la lui remettrai pas.
2. Oui, nous la leur raconterons. Non, nous ne la leur raconterons pas.

3. Oui, je la lui prête parfois. Non, je ne la lui prête jamais.

4. Oui, nous le lui réclamerons. Non, nous ne le lui réclamerons pas.
5. Oui, je les leur rendrai. Non, je ne les leur rendrai pas.
6. Oui, nous les lui laissons souvent. Non, nous ne les lui laissons jamais.
7. Oui, nous la leur annoncerons. Non, nous ne la leur annoncerons pas.
8. Oui, je les lui montre tous. Non, je ne les lui montre pas tous.
9. Oui, je la lui jouerai. Non, je ne la lui jouerai pas.
10. Oui, je les leur offrirai. Non, je ne les leur offrirai pas.

B
1. Oui, je te la fais. Non, je ne te la fais pas.
2. Oui, je vous le présenterai. Non, je ne vous le présenterai pas.
3. Oui, elle me les rapportera. Non, elle ne me les rapportera pas.
4. Oui, on me l'a expliqué. Non, on ne me l'a pas expliqué.
5. Oui, je vous la dis. Non, je ne vous la dis pas.
6. Oui, je vous la raconterai. Non, je ne vous la raconterai pas.
7. Oui, il nous la prêtera. Non, il ne nous la prêtera pas.
8. Oui, je te l'offrirai. Non, je ne te l'offrirai pas.
9. Oui, je vous le préparerai. Non, je ne vous le préparerai pas.
10. Oui, je te l'achèterai. Non, je ne te l'achèterai pas.

C
1. Oui, je leur en ai acheté. Non, je ne leur en ai pas acheté.2. Oui, il lui en offrira une. Non, il ne lui en offrira pas.
3. Oui, nous vous en donnerons parfois. Non, nous ne vous en donnerons jamais.
4. Oui, il nous en apportera. Non, il ne nous en apportera pas.
5. Oui, je m'en occupe. Non, je ne m'en occupe pas.
6. Oui, il s'en inquiète. Non, il ne s'en inquiète pas.
7. Oui, elle s'en plaint. Non, elle ne s'en plaint pas.
8. Oui, je m'en moque. Non, je ne m'en moque pas.
9. Oui, je m'en suis excusé. Non, je ne m'en suis pas excusé.
10. Oui, je t'en raconte. Non, je ne t'en raconte pas.

D
1. Oui, je les y mettrai. Non, je ne les y mettrai pas.
2. Oui, je l'y ai rangé. Non, je ne l'y ai pas rangé.
3. Oui, elle s'y habitue. Non, elle ne s'y habitue pas.
4. Oui, ils s'y intéressent tous. Non, ils ne s'y intéressent pas tous.
5. Oui, nous nous y opposerons toujours. Non, nous ne nous y opposerons pas toujours.

20

A
1. Offre-la-lui! Ne la lui offre pas!
2. Demande-les-leur! Ne les leur demande pas!
3. Remettez-le-lui! Ne le lui remettez pas!
4. Cachez-la-leur! Ne la leur cachez pas!
5. Propose-les-lui! Ne les lui propose pas!

B
1. Donne-la-moi! Ne me la donne pas!
2. Dis-la-nous! Ne nous la dis pas!
3. Présentez-les-nous! Ne nous les présentez pas!
4. Apportez-le-moi! Ne me l'apportez pas!
5. Sèche-les-toi! Ne te les sèche pas!

C
1. Parle-m'en! Ne m'en parle pas!
2. Occupe-t'en! Ne t'en occupe pas!
3. Achète-nous-en! Ne nous en achète pas!
4. Demande-lui-en! Ne lui en demande pas!
5. Envoyez-nous-en! Ne nous en envoyez pas!

D
1. Parle-nous de lui!
2. Parle-nous-en!
3. Occupe-toi de lui!
4. Occupe-t'en!
5. Ne te moque pas d'elle!
6. Ne t'en moque pas!
7. Ne te plains pas toujours de lui!
8. Ne t'en plains pas toujours!
9. Intéressez-vous à elle!
10. Ne vous y intéressez pas!

21
1. Oui, je les leur raconte. Non, je ne les leur raconte pas.
2. Oui, je leur en raconte. Non, je ne leur en raconte pas.
3. Il les lui offrira pour son anniversaire.
4. Il lui en offrira...
5. Oui, je te l'ai envoyée. Non, je ne te l'ai pas envoyée.
6. Oui, je t'en ai envoyé une. Non, je ne t'en ai pas envoyé.
7. Oui, nous vous la donnerons. Non, nous ne vous la donnerons pas.
8. Oui, nous vous en donnerons une. Non, nous ne vous en donnerons pas.
9. Oui, il me les a expliqués. Non, il ne me les a pas expliqués.
10. Oui, il m'en a parlé. Non, il ne m'en a pas parlé.

22

A

1. Oui, je veux le voir. Non, je ne veux pas le voir.
2. Oui, je vais leur écrire. Non, je ne vais pas leur écrire.

3. Oui, elle va l'ouvrir. Non, elle ne va pas l'ouvrir.
4. Oui, je vais les réveiller. Non, je ne vais pas les réveiller.
5. Oui, j'ai pensé à lui répondre. Non, je n'ai pas pensé à lui répondre.

B

1. Oui, je veux en boire. Non, je ne veux pas en boire.
2. Oui, je peux y entrer. Non, je ne peux pas y entrer.
3. Oui, je vais y réfléchir. Non, je ne vais pas y réfléchir.
4. Oui, je sais en faire. Non, je ne sais pas en faire.
5. Oui, je commence à y penser. Non, je ne commence pas à y penser.

C

1. Oui, tu peux me téléphoner. Non, tu ne peux pas me téléphoner.
2. Oui, je veux vous écouter. Non, je ne veux pas vous écouter.
3. Oui, nous pouvons vous comprendre. Non, nous ne pouvons pas vous comprendre.
4. Oui, il vient de nous dire quelque chose. Non, il ne vient pas...
5. Oui, ils vont se plaire. Non, ils ne vont pas se plaire.

D

1. Oui, je vais la lui offrir. Non, je ne vais pas la lui offrir.
2. Oui, j'ai l'intention de lui en faire un. Non, je n'ai pas l'intention de lui en faire.
3. Oui, elle saura s'y adapter. Non, elle ne saura pas s'y...
4. Oui, je vais te la dire. Non, je ne vais pas te la dire.
5. Oui, j'aime m'en occuper. Non, je n'aime pas m'en occuper.

E

1. Oui, je le laisse sortir... . Non, je ne le laisse pas sortir...
2. Oui, je l'ai fait réparer. Non, je ne l'ai pas fait réparer.
3. Oui, j'en ferai faire. Non, je n'en ferai pas faire.
4. Oui, je la laisserai partir... Non, je ne la laisserai pas...
5. Oui, il en fait venir... Non, il n'en fait pas venir...

23

1. Oui, je dois en porter. Non, je ne dois pas en porter.
2. Oui, ils vont le louer. Non, ils ne vont pas le louer.
3. Oui, on en laissera dormir. Non, on n'en laissera pas dormir.
4. Oui, il voulait me parler. Non, il ne voulait pas me parler.
5. Oui, nous venons d'y assister. Non, nous ne venons pas d'y assister.
6. Oui, j'ai oublié de lui répondre. Non, je n'ai pas oublié de lui répondre.
7. Oui, je vais arrêter de parler d'elle. Non, je ne vais pas...
8. Oui, je vais arrêter d'en parler. Non, je ne vais pas...
9. Oui, elle commence à y penser. Non, elle ne commence pas à...
10. Oui, elle va enfin penser à lui. Non, elle ne va pas penser...

24

A

1. Va les surveiller! Ne va pas les surveiller!
2. Va lui téléphoner! Ne va pas lui téléphoner!
3. Va en faire! Ne va pas en faire!
4. Va les lui montrer! Ne va pas les lui montrer!
5. Va lui en donner! Ne va pas lui en donner!

B

1. Laissez-le courir! Ne le laissez pas courir!
2. Fais-la réparer! Ne la fais pas réparer!
3. Faites-la entrer! Ne la faites pas entrer!
4. Laissez-en entrer quelques-unes! N'en laissez entrer aucune!
5. Fais-le taire! Ne le fais pas taire!

25

1. l'as-tu vu ? 2. lui as-tu téléphoné ? 3. en as-tu acheté ? 4. y es-tu allé ? 5. en as-tu besoin ? 6. la leur as-tu annoncée ? 7. lui en as-tu envoyé une ? 8. t'y intéresses-tu ? 9. t'en a-t-il prêté ? 10. te l'a-t-il montré ?

26

—... asseyez-vous. Que puis-je faire pour vous ?
— ... je ne mange plus, je ne dors plus, je vous en prie, aidez-moi!"
— Madame, installez-vous ici (et il lui montre...). Allongez-vous, ... et racontez-moi...
— ..., mon mari ne me regarde pas, il ne me voit pas. Je lui parle, il ne m'écoute pas, je l'interroge, il ne me répond pas.
... Il l'oublie toujours.
... Il ne m'en fait aucun.
... Nous n'y allons jamais.
... Nous n'en recevons pas.
... Nous n'en faisons plus.

..., je vous en supplie, conseillez-moi! Dites-moi ce que je dois faire, ce que je dois lui dire. Je l'aime encore, ..., je vais le détester.

27

— Oui, j'en ai. Tiens, en voilà.
— J'en veux bien une, merci.
— Bien sûr, assieds-toi.
— Moi, je m'appelle Émilie.
— J'y viens quelquefois.
— Non, je ne l'ai pas encore vu.
— Oui, je veux bien le voir avec toi, si mes parents sont d'accord.
— Oui, je dois la leur demander.
— Viens me chercher à 7 heures.

CHAPITRE 21

Les participes (présent et passé)

1

A

1. Il marche sous la pluie en chantant. 2. Tu hésites en choisissant le cadeau. 3. en atterrissant. 4. en courant. 5. en conduisant. 6. en vivant à l'étranger. 7. en écrivant des romans. 8. en apercevant sa belle-mère. 9. en répondant mal à l'examinateur. 10. en peignant la cuisine. 11. en faisant tes devoirs. 12. en disparaissant dans la mer. 13. en mettant un gros billet sur le comptoir. 14. en venant me voir. 15. en prenant sa valise. 16. en disant une bêtise. 17. en voyant arriver l'autobus. 18. en buvant. 19. en voulant suivre un régime. 20. en sachant répondre à toutes les questions.

B

1. Je l'ai appris en vivant à Paris.
2. On peut en trouver un en le cherchant dans l'annuaire.
3. Je l'ai attrapé en marchant sous la pluie.
4. Nous allons en sortir en grimpant sur ce mur.
5. Il gagne en trichant.
6. Je me suis cassé la jambe en tombant dans l'escalier.
7. Il a réussi en travaillant énormément.
8. Je viens de l'apprendre en lisant le journal (en écoutant la radio, en regardant la télévision).
9. Je l'ai compris en cherchant le mot dans le dictionnaire.
10. Je vais la faire en battant des œufs, et en ajoutant du sel et du poivre.

2

1. est arrivé. 2. est entrée. 3. sont allés. 4. sont devenues. 5. est partie. 6. n'est pas venue. 7. sont restés. 8. sont tombées. 9. sont nés. 10. sont morts.

3

A

1. As-tu vu, je les ai vus. 2. As-tu entendu, je ne l'ai pas entendu. 3. As-tu aperçu, j'en ai aperçu. 4. As-tu toujours craint, je ne les ai jamais craints, je les ai toujours aimés. 5. je l'ai toujours détestée, j'ai toujours préféré.

B

1. Mona leur a répondu...
2. Qu'est-ce que tu lui as dit ?
3. Elle nous a souvent posé cette question.
4. Nous y avons beaucoup réfléchi et nous lui avons répondu.
5. Cette lettre, est-ce que tu la leur as déjà portée ?

4

A

1. sont restées. 2. je l'ai rencontrée… où elle était allée danser. 3. sont tombés. 4. Est-ce que tu as emporté... ? Non, je les ai... oubliées. 5. vous n'êtes pas encore venus... 6. a interviewé..., mais il en a préféré... 7. sont tous morts. 8. sont devenus. 9. Il y a eu, ils n'en ont remarqué aucun. 10. Est-ce que Matisse a vraiment peint ces deux tableaux ? Oui, il les a peints...

B

1. Oui, je l'ai rencontrée.
2. Oui, je lui ai téléphoné.
3. Oui, je l'ai entendue.
4. Oui, elle lui a parlé.
5. Oui, il l'a vraiment regardée.
6. Oui, j'y ai répondu (nous y avons répondu).
7. Oui, je les ai tous vus (nous les avons tous vus).
8. Oui, je leur ai dit au revoir (nous leur avons dit...).
9. Je leur ai donné rendez-vous chez moi.
10. Oui, je les leur ai déjà racontées.
11. Oui, je l'ai souvent mis.
12. Oui, je le lui ai proposé.
13. Je les ai invités parce qu'ils sont intéressants.
14. Oui, je les ai lues.
15. Oui, je la lui ai demandée.
16. Il les lui a offertes pour son anniversaire.
17. Oui, il le leur a annoncé.
18. Oui, je la lui ai expliquée.
19. Oui, il leur en a parlé.
20. Oui, elle l'y a inscrite.

5

A

1. se sont réveillés, se sont levés. 2. se sont entraînés. 3. se sont retrouvés. 4. se sont combattus. 5. se sont amusés. 6. se sont tous fatigués. 7. se sont promenés. 8. se sont perdus. 9. se sont tous quittés, se sont couchés. 10. se sont endormis.

B

1. se sont plu. 2. se sont parlé. 3. se sont dit. 4. se sont téléphoné. 5. se sont juré. 6. se sont souhaité. 7. se sont envoyé. 8. se sont succédé. 9. ne se sont plus répondu. 10. ne se sont plus jamais écrit.

C

1. s'est lavée, s'est lavé. 2. s'est jetée, se sont jeté. 3. se sont serrés, se sont serré. 4. s'est changée, nous nous sommes changé. 5. sont partagés, se sont partagé.

6

A

1. Oui, elle l'a déjà mise (Non, elle ne l'a pas encore mise).
2. Oui, ils les ont écoutés.
3. Oui, je me les suis lavés.
4. Oui, je les ai déjà vues (Non, je ne les ai pas encore vues).
5. Oui, j'en ai reçu une.
6. Nous les avons rencontrés à Biarritz.
7. Oui, on m'en a volé.
8. Oui, j'en ai pris douze.
9. Je l'ai trouvée fatiguée.
10. Oui, je les ai bien comprises.
11. Oui, je les ai regardés.
12. Oui, je les ai vraiment bues.
13. Oui, j'en ai écrit plusieurs.
14. Oui, il s'y est intéressé.
15. Oui, je l'y ai perdu.
16. Oui, nous nous y sommes habitués.
17. Non, ils n'en ont jamais élu aucune.
18. Oui, il l'a reconnue.
19. Oui, il l'a déjà faite (Non, il ne l'a pas encore faite).
20. Oui, je les ai ouvertes.

B

1. l'ai déjà vu. 2. est passée, l'as regardée ? 3. les avons connus. 4. tu les as perdues ? 5. il y en a eu plusieurs. 6. me l'avez déjà donnée. 7. J'ai commandé, en as déjà bu ? 8. a rejoint, leur a proposé. 9. a retrouvé, les a mises. 10. J'ai toujours aimé, les ai relus.

CHAPITRE 22

Les prépositions

1

1. dans. 2. dans. 3. à. 4. au. 5. dans. 6. à. 7. Dans. 8. À. 9. à. 10. dans.

2

A

1. en France, à Paris, dans une grande ville.2. en Angleterre, à Manchester, dans le centre...
3. sont en Chine, à Pékin, dans la partie Nord-Ouest...
4. en Bretagne, à Rennes, dans une belle région.
5. en Union Soviétique, à Moscou, dans un vieux quartier.

B

1. Tu iras au Danemark, à Copenhague, en ville.
2. Les Monblanc sont au Canada, à Vancouver, en banlieue.
3. Nous allons au Pérou, à Lima, en ville.
4. Ils habitent au Mexique, à Mexico, en banlieue.
5. Vous vivez au Portugal, à Porto, en province.

3

A

1. Je vais en Allemagne.
2. Nous allons au Sénégal.
3. ... en Grèce.
4. ... en Hongrie.
5. ... aux Etats-Unis.

B

1. Je vis à Bruxelles.
2. Nous vivons à Séoul.
3. ... à Tunis.
4. ... à La Haye.
5. ... au Havre.

C

1. J'irai à Madagascar.
2. Nous irons à Tahiti.
3. ... en Corse.
4. ... aux Antilles.
5. ... en Guadeloupe.

D

1. Je reviens d'Italie.
2. Nous revenons du Maroc.
3. ... de Turquie.
4. ... de Pologne.
5. ... du Japon.
6. ... de Stockholm.
7. ... d'Alger.
8. ... de Bucarest.
9. ... de Rio de Janeiro.
10. ... du Caire.
11. ... de Sardaigne.
12. ... de Cuba.
13. ... de Nouvelle-Calédonie.
14. ... de Malte.
15. ... des Comores.

4

1. de, à. 2. par, de, à. 3. de. 4. vers. 5. par. 6. jusqu'au terminus. 7. vers. 8. jusqu'à. 9. par. 10. d', à.

5

A

1. Pose ce vase sur la table.
2. Le chien dort toujours sous la table.
3. L'hôpital se trouve entre la poste et l'église.
4. Au théâtre, j'étais malheureusement assis derrière un très grand monsieur.
5. Au musée, il y a toujours trop de gens devant les beaux tableaux.
6. Trouvez-vous une grande différence entre ces deux pays ?
7. Il y a trop d'accidents sur les routes.
8. Elle va chez le coiffeur une fois par mois.
9. J'ai reconnu Gilles parmi des inconnus.
10. Nous allons dîner chez une amie ce soir.

B

1. Il fait cinq degrés au-dessous de zéro.
2. Les minijupes sont au-dessus du genou.
3. Strasbourg est près de la frontière.
4. Londres est loin de Varsovie.
5. Au cinéma, l'écran est en face des spectateurs.
6. Il y a une piscine au milieu du jardin.
7. Au concert, Gérard était assis à côté de moi.
8. Tes clés sont sûrement au fond de ton sac.
9. Beaucoup de voitures tournent autour de l'Arc de Triomphe.

10. Nous sommes tombés en panne aux environs de Dijon.

6

A

1. à 9h30. 2. de 8h à midi, puis de 14h à 17h. 3. au lever du soleil... à la tombée de la nuit. 4. du début à la fin de la soirée! 5. à minuit.

B

1. depuis. 2. pendant. 3. Pendant. 4. Depuis.
5. depuis.

C

1. pour. 2. pendant. 3. pendant. 4. pour. 5. pour.

D

1. dans. 2. en. 3. en. 4. dans. 5. Dans.

7

A

1. Pendant. 2. depuis. 3. depuis. 4. du 1er au 15 avril. 5. en. 6. dans. 7. à. 8. pendant. 9. pour. 10. depuis.

B

1. à 23 heures. 2. dans quinze jours. 3. depuis trois semaines. 4. en dix jours. 5. pendant mon voyage. 6. de 10h à 19h. 7. pour cinq jours. 8. dans une heure. 9. depuis hier. 10. en quatre heures.

8

A

1. en, en, en, en,à. 2. malgré. 3. contre. 4. un par (à) un, un sur deux... 5. à l'envers, à l'endroit. 6. pour. 7. avec, sans. 8. en, en. 9. contre. 10. malgré.

B

1. Pour Noël, je vais retourner dans mon pays.
2. Beaucoup de manifestants sont venus malgré le froid.
3. Nous avons fait une promenade en bateau sur le lac.
4. Ils vont au théâtre une fois par an.
5. Elle travaille un jour sur deux.

C

1. Sans argent, on ne peut rien faire.
2. Avec des lunettes, il peut lire le journal.
3. En ce moment, Emmanuelle travaille sans plaisir.
4. Le public du stade était contre l'équipe de France.
5. Etes-vous pour la peine de mort ?

D

Hier, j'avais invité des amis chez moi pour un dîner costumé. C'était contre l'avis de mes parents. Ils sont tous venus malgré le mauvais temps ; certains sont arrivés en taxi, et à huit heures ils étaient tous là. Deux invités sur trois étaient venus avec un masque, les autres avec un costume. Nous avons dansé sans arrêt toute la nuit, et nous avons bu une bouteille par personne.

9

1. à cause de. 2. par. 3. à cause du. 4. pour. 5. à cause du. 6. par. 7. pour. 8. à cause d'une. 9. pour. 10. par hasard ou par erreur.

10

A

1. amoureuse d'un. 2. différent du. 3. responsable du. 4. interdit aux. 5. sûr de. 6. contente de. 7. prêtes à. 8. certain de. 9. fatiguée de. 10. étonnés de.

B

1. prête à partir. 2. facile à comprendre. 3. incapable de dire. 4. impossible à réaliser. 5. certain de pouvoir. 6. heureux de faire. 7. désolé d'arriver. 8. bon à savoir. 9. contents d'habiter. 10. impatients de connaître.

C

1. Il est possible de dormir avec les fenêtres ouvertes (fermées).
2. Il est facile de dire le contraire (la même chose).
3. Il est utile de répéter vos explications, je n'ai pas compris.
4. Il est permis de fumer à l'arrière (à l'avant) de l'avion.
5. Il est normal de peser 60 kilos.

11

Par exemple : 1. pleuvoir. 2. jouer. 3. partir. 4. crier. 5. faire. 6. ouvrir la porte. 7. t'appeler au téléphone. 8. rentrer avant l'orage. 9. d'être malade aujourd'hui. 10. l'accompagner chez le médecin. 11. nager. 12. d'éteindre la lumière. 13. danser ? 14. rire. 15. l'attendre à la sortie du cours. 16. ne pas manger à midi. 17. te servir de l'ordinateur. 18. signer ce contrat. 19. circuler la nuit. 20. vivre ensemble.

12

1. en retard, en avance. 2. D'habitude. 3. de bonne heure ; de bonne humeur. 4. à droite et à gauche. 5. en ce moment! 6. en même temps. 7. À mon avis, ... 8. En général, en vacances. 9. par exemple. 10. par hasard?

CHAPITRE 23

Les comparaisons

1

A

1. plus sucré qu'une.
2. plus fraîche que.
3. plus ancien que.
4. plus mauvaise qu'en.

B

1. aussi gentille que.
2. aussi jaloux que.
3. aussi rapides que.
4. aussi célèbres que.

C

1. moins riche que. 2. moins accueillant que.
3. moins frais que. 4. moins mauvais ce soir que.

D

1. Ce magnétoscope coûte moins cher que l'autre.
2. Ce chauffeur... conduit aussi vite que toi.
3. ..., les ouvriers travaillent plus dur que chez nous.
4. ..., le malade se sent moins mal qu'hier.
5. ..., j'ai attendu le train plus longtemps que d'habitude.

2

A

1. un peu plus âgé qu'aujourd'hui. 2. beaucoup plus clair qu'hier. 3. un peu moins bonne que la mienne. 4. beaucoup moins modernes que les tiens. 5. aussi médiocre que celui de Léa. 6. encore plus vite que les autres. 7. encore plus belle qu'en été. 8. encore plus basse que toi. 9. aussi facile d'aller à Rennes qu'à Lyon. 10. aussi cher qu'à Londres.

3

1. plus de gâteaux que. 2. autant de romans que. 3. moins de pommes que. 4. un peu plus de chance que. 5. autant de vin que. 6. beaucoup plus de vitraux que. 7. beaucoup moins de touristes sur... que. 8. un peu moins de brume sur la mer qu'hier ? 9. autant de chocolat que. 10. un peu plus de garanties que.

4

A

1. Ton idée me semble meilleure que la mienne/bien meilleure (que la mienne).
2. Tu as trouvé une situation meilleure que celle d'Eric/bien meilleure (que celle d'Eric).
3. Laurent est en meilleure santé que son médecin/en bien meilleure santé (que son médecin).
4. Aujourd'hui, il fait meilleur qu'hier/bien meilleur (qu'hier).
5. Tu as meilleure mine que la semaine dernière/bien meilleure mine (que la semaine dernière).

B

1. ..., j'ai mieux dormi que la nuit dernière, bien mieux que la nuit dernière.
2. Ce P.D.G. a mieux réussi... que son concurrent, bien mieux que son concurrent.
3. Tu parles mieux... que ton copain, bien mieux que ton copain.
4. Elle connaît mieux... que ses frères, bien mieux que ses frères.
5. Demain, ça ira mieux qu'aujourd'hui, bien mieux qu'aujourd'hui.

5

A

1. bien, bon. 2. bon, bien. 3. bien, bon! 4. bien, bon! 5. bien, bonnes. 6. bien, bonne. 7. bien, bonne. 8. bon, bien! 9. bien, bon. 10. bien, bon.

B

1. meilleur, mieux. 2. mieux, meilleur. 3. mieux, meilleur. 4. meilleure, mieux! 5. mieux, meilleur.

6

A

1. plus tu deviens bête. 2. moins tu as envie de travailler. 3. plus il est fatigué. 4. moins je te comprends. 5. plus je t'aime.

B

1. de plus en plus vite. 2. de moins en moins bien. 3. de plus en plus compliquée. 4. de moins en moins d'efforts. 5. de plus en plus de soucis.

7

A

1. Oui, je lui ressemble.
2. Non, tu n'en as pas l'air.

3. Oui, il est très ressemblant.
4. Non, elles ne sont pas toujours différentes.
5. Oui, elles sont tout à fait pareilles.
6. Oui, ils sont égaux.
7. Non, il n'est pas supérieur au mien.
8. Oui, il est inférieur à la moyenne.
9. Oui, elles sont semblables.
10. Non, elle n'est pas identique à l'autre.

B

1. Oui, je fais souvent le même (rêve).
2. Non, on ne nous a pas donné la même (réponse).
3. Oui, il fait souvent les mêmes (erreurs).
4. Oui, nous allons tous à la même (soirée).
5. Oui, nous suivons les mêmes (cours).

C

1. Non, je n'ai pas le même (âge) que lui.
2. Oui, nous avons visité les mêmes (villes) que vous.
3. Non, je ne suis pas allé(e) chez le même (coiffeur) que toi.
4. Oui, ils ont les mêmes (problèmes) que moi.
5. Non, il n'aura pas la même (patience) que lui.

D

1. de l'eau de roche.
2. un dieu.
3. ses pieds.
4. un tigre.
5. un clou.
6. un singe.
7. l'éclair.
8. un cœur.
9. un roi.
10. une casserole.

8

A

1. La neige tombe plus joliment que la pluie.
2. Le bruit d'un avion est bien plus fort que celui d'un moustique.
3. Au printemps, les arbres sont beaucoup plus verts qu'en automne.
4. L'odeur du métro est bien moins agréable que le parfum des fleurs.
5. La confiture de fraise est beaucoup plus sucrée que la moutarde.

9

A

1. C'est l'enfance, l'adolescence, la jeunesse, l'âge adulte, l'âge mûr, la vieillesse, etc.
2. Ce sont la vodka, le maotaï, le whisky, etc.
3. C'est Charlie Chaplin.
4. C'est le 14 juillet.
5. C'est le réchauffement de la planète et les diverses pollutions.

B

1. Oui, c'est la plus sérieuse (des entreprises).
2. Oui, c'est le plus chaud (des deux).
3. Oui, c'est le plus connu (des orchestres).
4. Oui, c'est le plus intéressant (de tous ses romans).
5. Oui, c'est le plus agité (de la classe).

C

1. Voici la maison la plus belle du village.
2. Lucky Luke est le tireur le plus rapide de l'Ouest.
3. Je vous emmène dans le restaurant le meilleur de la ville.
4. C'est le jour le plus beau de ma vie.
5. C'est le téléviseur le moins cher de ce magasin.

D

1. Elle sort le plus souvent possible.
2. Je rentrerai le plus tôt possible.
3. Il travaille le mieux possible.
4. Je partirai le plus tard possible.
5. Il dort le plus possible.

E

1. ne mangez rien! 2. buvez beaucoup d'eau! 3. utilisez la crène XYZ! 4. jouez au casino! 5. lavez-vous les dents avec...

CHAPITRE 24

L'enchaînement de deux phrases simples

1

1. elle lui a demandé de l'aider.
2. trois personnes sont montées.
3. le client a payé le chauffeur.
4. il n'a rien compris.
5. elle était fermée.
6. il n'était pas là.
7. nous restons à la maison.
8. que vous entrez ?
9. téléphonez.
10. elle est toujours en retard.
11. ils ont eu un accident.
12. elle a perdu.
13. il est malade.
14. il fait sombre.
15. il n'a pas d'argent.

2

A

et s'assied à sa place. Mais un autre passager car il a... . "C'est moi... ou c'est vous...!" Hugues vérifie donc, ...!

B

1. Nous habitons la campagne car nous aimons la nature.
2. Nous détestons le bruit, donc nous avons choisi un endroit calme.
3. Nous cueillons des fraises et nous faisons des confitures.
4. Nous dormons sur l'herbe ou nous nous installons sur une chaise longue.
5. Nous sommes tranquilles, mais nous ne nous ennuyons pas.

3

A

"..., et pourtant...
— D'une part j'avais mal à une jambe, d'autre part mon adversaire... . Il avait aussi l'avantage... . ... alors il en a profité..."

B

... car on nous attendait... . Soudain le moteur... Pourtant la voiture...!
Nous nous sommes donc arrêtés... . Alors le mécanicien... . En effet, il n'y avait plus d'essence!

4

A

1. C ; 2. A ; 3. D ; 4. B

B

1. B ; 2. A ; 3. D ; 4. C

5

... Tout à coup, en passant... . Alors, je suis resté... . Après, le musicien... . ... j'ai sonné aussitôt...! Avant, j'étais... . Maintenant, je ne comprends pas... .

CHAPITRE 25

Les pronoms relatifs

1

A

1. qui est aviateur.
2. qui sonne.
3. qui dorment trois heures par nuit.
4. qui donne sur une jolie place.
5. qui parle bien français.

B

1. qui est infirmière. 2. qui sont sur la table. 3. qui habite au-dessus de chez nous. 4. qui se trouve sur la place. 5. qui viennent de la rue.

2

A

1. que j'ai acheté.
2. que je t'ai prêté ?
3. qu'on lui donne.
4. que nous entendons ?
5. que je ne comprendrai jamais.

B

1. que nous buvons.
2. que vous regardez.
3. que j'ai vu.
4. que vous portez.
5. que vous devez prendre.

C

1. qu'il a prise. 2. que nous avons rencontrée... 3. que tu as lus l'été dernier ? 4. que nous avons passée. 5. que tu as achetées.

3

A

1. Connais-tu ce journal qui vient de sortir ?
2. Nous avons acheté une caméra que nous avons emportée...
3. Qui veut bien fermer cette porte qui grince ?
4. Le vigneron fait un beau métier qu'on connaît mal.
5. Vous allez écouter une sonate de Chopin qui est un chef-d'œuvre.
6. L'autobus que je prends tous les matins est toujours plein.
7. Les salariés, qui demandent une augmentation de salaire, sont en grève.
8. Tous les vêtements que j'ai lavés hier ne sont pas secs.
9. Les villes qui ont un métro sont de plus en plus nombreuses.
10. Le numéro que vous demandez n'est pas en service actuellement.

B

1. qui. 2. que. 3. que. 4. qui. 5. qui. 6 qui. 7. qui. 8. que. 9. qui. 10. que.

4

A

1. dont la tante travaille à Air France. 2. dont le sable est fin. 3. dont le propriétaire est mon oncle. 4. dont il est... sûr. 5. dont ils sont très contents. 6. dont nous avons peur. 7. dont vous parlez. 8. dont je me souviendrai toujours. 9. dont il s'occupe. 10. dont vous avez besoin ?

B

1. dont le début est très drôle. 2. dont l'action se passe en 2031. 3. dont la fille a épousé un boulanger ? 4. dont les spécialités sont réputées. 5. dont la population est jeune. 6. dont les yeux étaient de deux couleurs... 7. dont les arbres sont tous malades. 8. dont le rire est contagieux. 9. dont la variété est étonnante. 10. dont les revendications sont nombreuses.

C

1. dont elle a envie! 2. dont il est capable. 3. dont tous les journaux parlent... 4. dont vous faites partie ? 5. dont M. Cartier est le directeur. 6. dont vous aurez besoin. 7. dont on souffre. 8. dont on ne connaît pas la cause. 9. dont vous admirez l'architecture. 10. dont je vois les photos.

5

1. dont. 2. que. 3. que. 4. dont. 5. dont. 6. que. 7. que. 8. dont. 9. dont. 10. qu'on.

6

A

1. Il fait trop chaud dans la pièce où nous travaillons.
2. où nous nous retrouvons d'habitude.
3. où ma sœur vit avec sa famille.

4. où ils ne connaissent personne.
5. où je prends l'autobus.
6. où les visiteurs sont les plus nombreux est le Louvre.
7. où nous nous trouvons est connue pour ses fromages.
8. où je suis entré par hasard, on donnait un concert.
9. où j'ai garé ma voiture, le stationnement.
10. où nous faisons nos études a un campus...

B

1. Pourquoi arrivez-vous à l'heure où tout le monde part ?
2. Le jour où j'ai atterri à Roissy.
3. où le conférencier s'est arrêté de parler.
4. L'année où mon frère est né.
5. où il a fait si froid ?

C

1. Allez à la tour Eiffel d'où l'on voit tout Paris.
2. d'où nous verrons très bien la scène.
3. d'où je viens.
4. d'où l'on a une vue magnifique...
5. d'où nous sortons.

7

A

1. sur lequel. 2. sans laquelle. 3. avec lequel. 4. pour lesquelles. 5. derrière lequel. 6. sous lesquels. 7. pendant lesquelles. 8. par laquelle. 9. contre laquelle. 10. avant lesquelles.

B

1. à côté duquel. 2. auxquelles. 3. en face desquelles. 4. auxquels. 5. autour de laquelle.

C

1. avec qui (avec laquelle). 2. à qui (auxquelles). 3. avec qui (avec lequel). 4. à qui (auxquels). 5. chez qui (chez lequel).

D

1. devant laquelle.
2. devant qui.
3. pour qui (pour lesquels).
4. pour lequel.
5. avec qui (avec lequel).
6. sans laquelle.
7. à qui (à laquelle).
8. à côté de qui (à côté duquel).
9. auquel.
10. pendant lequel.

8

A

1. que. 2. qui. 3. avec qui (avec laquelle). 4. où. 5. dont. 6. chez qui (chez lesquels). 6. chez qui (chez lesquels). 7. à laquelle. 8. à qui (auquel). 9. dont. 10. auxquels. 11. pour qui (pour lesquels). 12. qui. 13. où. 14. que. 15. dont.

B

1. des gens. 2. les informations. 3. la symphonie. 4. les feuilles. 5. le travail.

C

1. Il y a eu un enlèvement. 2. C'est un pays. 3. Les pivoines sont des fleurs. 4. C'est une manière de vivre. 5. Je revois souvent les amis.

9

A

1. C'est Hervé qui m'a raconté...
2. C'est Magali qui a fait.
3. Ce sont des Brésiliens qui habitent ...
4. C'est une valse de Chopin que nous écoutons.
5. Ce sont vos explications qu'il ne comprend pas.

B

1. C'est Johny Hallyday qui chante.
2. C'est la littérature qui m'intéresse le plus.
3. C'est un article sur la sécheresse que je lis.
4. Ce sont mes parents qui m'ont accompagné à la gare.
5. Ce sont des amis étudiants que j'attends.

C

1. C'est un homme qui distribue le courrier.
2. C'est quelqu'un qui écrit des livres.
3. C'est quelque chose qu'on se met sur la tête.
4. C'est un animal qui fait des grimaces.
5. C'est un acteur que tout le monde connaît.

D

1. C'est un homme qui vend des livres.
2. C'est quelqu'un qui circule à pied.
3. C'est quelque chose qu'on ferme devant ou derrière une fenêtre.
4. C'est un animal sauvage qui a un très long cou.
5. C'était un peintre que tout le monde admire beaucoup.

E

1. moi qui t'ai appelé, toi qui m'as répondu.
2. nous qui avons prévenu, eux qui ont donné.
3. elle qui vous a conseillé, vous qui l'avez lu.
4. lui qui est arrivé, elles qui sont parties.
5. toi et moi qui sommes.

10

A

1. que. 2. qui. 3. où. 4. dont. 5. qui.

B

1. ce qui. 2. ce qu'il. 3. à ce qu'on. 4. ce dont. 5. ce qui. 6. ce qu'elle. 7. ce dont. 8. tout ce qui. 9. ce dont. 10. ce qui. 11. de ce qu'elle. 12. ce qui. 13. ce qui. 14. de ce que. 15. ce qu'il.

C

1. ce que. 2. celui dont. 3. ce qui. 4. celles qu'ils. 5. celle qu'il. 6. celui qui. 7. ceux que. 8. ce que. 9. l'une de celles qu'il. 10. Après ce qu'elle.

11

A

C'est un sportif que le public adore ; qui s'entraîne aux U.S.A ; dont l'entraîneur est célèbre ; à qui (auquel) les journalistes posent beaucoup de questions .

B

Ce sont des gens dont la situation est difficile ; qui ne sont pas riches ; que personne n'aide ; à qui (auxquels) les voisins ne font pas attention.

C

C'est une voiture que Benjamin a achetée d'occasion ; qui a déjà fait 50 000 kilomètres ; dont il a besoin pour son travail ; avec laquelle il circulera beaucoup.

D

Ce sont des boutiques que je peux vous recommander ; où on trouve ce qu'on veut ; qui ne sont pas trop chères ; dont je vous donne l'adresse.

12

1. la pluie qui tombe.
2. où il n'y avait pas d'ordinateur.
3. ce que cela veut dire.
4. dont nos amis nous ont parlé ?
5. sur laquelle tout est indiqué.
6. ce qui lui plaît.
7. qui l'intéressent beaucoup.
8. où on fabrique des nougats.
9. pour laquelle ils doivent quitter leur studio.
10. dont nous sommes contents.
11. que je vous ai dit.12. qu'une amie lui a donnée.
13. dont ils se souviendront toujours.
14. que je vous ai prêté.
15. qui vous ai téléphoné hier.
16. qui vous parliez.
17. où les gens sont très accueillants.
18. dont vous avez envie.
19. qui vivent la nuit.
20. auquel je n'avais pas fait attention.

13

1. un mari qui aime la bonne cuisine.
2. que tout le monde connaît très bien.
3. qui l'ennuie.
4. qui fait beaucoup de bruit.

5. qui paraît tous les mois.
6. qui mentent.
7. qu'on peut admirer.
8. qui parlent beaucoup...
9. qui a de l'intérêt (qui nous intéressera).
10. qui aime (pratique) le sport.

14

A

que, dont, qui, où, à qui (à laquelle), sur lequel.
que, dont, et qui, dont.

C

qui, qu'elle, qui, qui, où, à qui (à laquelle) , dont, et qu'il, dont.où.

CHAPITRE 26

Les propositions complétives
Le subjonctif

1

A

1. Il pense que la vie est belle.
2. Je trouve que la visite du musée était...
3. Maria croit qu'il s'est trompé...
4. Ariane sait que l'hiver est...
5. Nous sommes sûrs que la fête sera...

B

1. Le juge est certain qu'en ce moment, le témoin ne dit pas/que lundi dernier le témoin n'a pas dit...
2. Elsa dit que les mathématiques l'intéressent/qu'avant-hier, elle n'a pas compris le problème.
3. Bob répond qu'il n'est pas libre/qu'il retournera bientôt...
4. Gaël m'écrit qu'il travaille beaucoup en ce moment/qu'il a perdu tous ses papiers... jeudi dernier.
5. Nous expliquons à Fred que des amis sont arrivés... hier/que nous ne pouvons pas...
6. L'hôtesse annonce aux passagers qu'ils atterriront bientôt/qu'il fait 15 degrés...
7. J'apprends avec surprise qu'Helmut habite à Grenoble/qu'il a décidé de rester en France.
8. L'infirmière voit que le malade dort toujours/a bien dormi la nuit dernière.
9. Nadia comprend que Boris n'a pas le temps... en ce moment/n'a pas encore eu le temps.
10. Maud sent que Patrice est furieux/ne reviendra plus.
11. Henri s'aperçoit que son portefeuille a disparu/qu'il n'a plus d'argent.
12. Est-ce que tu te souviens que nous allons... ce soir ?/qu'hier soir, tu m'as promis... ?
13. Ils décident qu'à l'avenir, ils se réuniront/que les réunions se tiendront...
14. J'espère que tu vas bien/que tu guériras vite.
15. Pierre promet qu'il arrivera à l'heure demain/qu'il rentrera tôt dimanche prochain.

C

1. que Mexico est une ville.
2. que la situation économique inquiète.
3. que vous ne dormez pas assez.
4. que cette situation ne peut (pourra) pas durer.
5. que j'ai donné mon accord la semaine dernière.
6. qu'ils se marieront en septembre prochain.
7. qu'elle est arrivée hier.
8. que vous avez raison.
9. que la boulangère est partie avec le boucher.
10. que l'argent ne fait pas le bonheur.

2

A

1. était. 2. riaient. 3. travaillais. 4. était. 5. allait.

B

1. était entré... 2. n'avait pas encore payé. 3. avait beaucoup baissé. 4. avaient gagné. 5. avait déjà fini...

3

A

1. que je te rendrai tes disques. 2. que j'avais une grande famille. 3. qu'il y aura de la neige à Noël. 4. qu'il avait trouvé du travail. 5. qu'une autoroute passera un jour ici. 6. que vous me parliez. 7. que tu as mal à la tête. 8. que l'essence a encore augmenté. 9. qu'il aimait les voitures de sport. 10. que vous aviez trop bu.

B

1. Elle est sûre. 2. Ils trouvent. 3. Il paraît. 4. Il m'explique. 5. On voyait. 6. Je m'aperçois. 7. Je croyais. 8. J'étais certaine. 9. Nous avons appris. 10. J'espère.

4

A

1. Il faut que je sois, que j'aie. 2. que tu sois, que tu aies. 3. qu'il soit, qu'il ait. 4. que nous soyons, que nous ayons. 5. que vous soyez, que vous ayez. 6. qu'ils soient, qu'ils aient.

B

1. Il faut qu'il ait un bon travail et qu'il soit sérieux.
2. que vous ayez un appartement et que vous soyez...
3. qu'ils soient dynamiques et qu'ils aient...
4. que tu sois gentil et que tu aies...
5. que je sois à l'heure et que je n'aie pas de retard.

5

A

1. Il veut que je chante. 2. que tu commences. 3. qu'elle mange. 4. que nous étudiions. 5. que vous continuiez. 6. qu'ils jouent. 7. qu'on ouvre. 8. qu'elles cueillent. 9. que nous offrions. 10. que vous accueilliez.

B

1. Elle veut que vous remerciiez.
2. que je lui offre.
3. que nous travaillions et que nous partagions.
4. que vous accompagniez et que vous rentriez.
5. qu'ils photographient.

C

1. Elle aimerait que je l'appelle. 2. que nous rappelions. 3. que tu jettes. 4. que vous ne jetiez. 5. qu'il achète. 6. que nous achetions. 7. que tu paies (payes). 8. que vous payiez. 9. que je la croie. 10. que tu voies, et que nous le voyions.

D

1. Je n'aimerais pas que vous emmeniez.
2. qu'on m'appelle.
3. que mon fils voie.
4. que vous vous ennuyiez.
5. que tu croies.

6

A

1. Il souhaite que je finisse. 2. qu'elle sorte et que nous partions. 3. qu'elle éteigne. 4. que vous lisiez. 5. que je mette. 6. que tu dises. 7. que vous écriviez et que nous le traduisions. 8. qu'elle vive. 9. que je connaisse. 10. que nous répondions.

B

1. Tu souhaites que je réfléchisse. 2. qu'il conduise. 3. que je lise. 4. que nous ne disions. 5. que les enfants dorment.

C

1. Je doute que tu boives. 2. que tu reçoives. 3. que vous receviez. 4. qu'il prenne, et que vous en preniez aussi. 5. qu'elles tiennent. 6. que vous veniez. 7. que tu ailles. et que vous alliez. 8. qu'il fasse. 9. qu'ils sachent. 10. que tu puisses.

D

1. Il doute qu'elle aille. 2. que vous compreniez. 3. que tu saches. 4. qu'ils fassent. 5. que nous puissions.

7

A

1. Je veux qu'ils peignent.2. Ils souhaitent que tout se passe.3. Elle demande que quelqu'un la ramène.4. Eva accepte toujours que je lui dise.
5. Il refuse que vous sortiez.
6. L'agent permet que nous mettions.
7. La loi interdit que les enfants ... aillent.
8. Ils proposent que nous passions.
9. Gilles attend ... que tu reviennes.
10. Jérôme a envie que ses amis le voient.
11. Cet enfant a besoin que vous vous occupiez.
12. Gaëlle a peur que Yann n'attende pas.
13. Tu aimes qu'on te serve.
14. Je préfère qu'il n'entende pas.
15. Je déteste que quelqu'un me suive.
16. Nous regrettons ... que vous ne puissiez pas.
17. Les hommes ... doutent que leurs décisions satisfassent.
18. Ils sont contents que le nouveau T.G.V. s'arrête.
19. Nous sommes toujours étonnés que les gens vivent.
20. Je suis ennuyé que vous ne sachiez pas encore.

B

1. que tu saches. 2. que je parte. 3. que vous fassiez. 4. que l'orage s'éloigne. 5. que nous ayons. 6. qu'il ne perde pas. 7. que vous obteniez. 8. que tu n'ailles pas. 9. que vous deviez. 10. que nous voyions.

8

1. que nous tenions. 2. que M. Tavernier doive. 3. que son petit chien devienne. 4. qu'on réussisse. 5. que vous parliez. 6. que les Français soient. 7. que vous puissiez. 8. que M. Till reparte. 9. qu'elle vienne. 10. qu'on te croie ? 11. qu'ils prennent. 12. que nous ayons. 13. que nous trouvions. 14. que l'Europe se construise. 15. que je réussisse.

9

A

1. que les prix baissent maintenant.
2. que vous voyiez son travail.
3. que ce poste ne vous convienne pas.
4. qu'il ne vienne pas avec toi.
5. que vous ayez des ennuis.
6. que tu vives en France.
7. qu'un gardien surveille la maison.
8. que personne ne sache la vérité.
9. qu'on lui livre la marchandise.
10. que nous nous occupions d'eux.
11. que je fasse ce voyage.
12. que vous m'expliquiez la situation.
13. que quelqu'un vous remplace.
14. que vous ne jouiez pas au ballon ici.
15. qu'il perde son temps et son argent.
16. qu'il n'y ait pas de guerre.
17. que le téléphone soit libre.
18. que (l') on fasse du bruit après 22h.
19. qu'Eva sorte tôt ce soir.
20. qu'on leur demande tant de travail.

B

1. Il ne permet pas. 2. Il regrette. 3. Je veux. 4. Je ne souhaite pas. 5. Ils ont peur. 6. Je suis content. 7. Il est possible. 8. Je propose. 9. Nous préférons. 10. Il faut.

10

A

1. voudrait bien avoir des amis français. 2. aime beaucoup nager. 3. souhaité gagner un jour au Loto. 4. préfère t'attendre au café. 5. désirez rencontrer le chef de service.

B

1. Nous avons tous besoin de faire du sport. 2. de m'accompagner à l'aéroport. 3. de ne pas pouvoir vous aider. 4. de vous déranger. 5. de faire votre connaissance.

11

A

1. Je regrette que tu aies décidé. 2. que tes amis aient déjà quitté. 3. que nous ayons accepté. 4. que je n'aie pas encore reçu. 5. que vous ne soyez pas allés.

B

1. qu'ils ne soient pas venus. 2. qu'elle ait déjà trouvé. 3. que nous n'ayons pas encore acheté. 4. que vous ne soyez pas restés. 5. que Véra ait perdu.

12

A

1. le temps ait été si mauvais.
2. on ait mis le téléphone chez moi.
3. vous soyez allés au cinéma sans nous.
4. la promenade ait été plus agréable.
5. vous ayez eu tant de difficultés.

B

1. J'ai peur. 2. Nous sommes étonnés... 3. Il est regrettable. 4. Je ne comprends pas. 5. Je doute.

13

1. que vous lui rendiez. 2. qu'on fasse. 3. qu'Alain ait trouvé. 4. qu'elle choisisse. 5. que les impôts aient augmenté (augmentent). 6. que le coiffeur lui ait coupé. 7. qu'il se soit cassé. 8. que vous preniez. 9. que vous ayez oublié. 10. qu'il soit passé.

14

1. qu'il est allé. 2. qu'un visa d'étudiant soit. 3. que les chiens pénètrent. 4. qu'il ait. 5. qu'elle arrivera. 6. qu'ils feront. 7. qu'il y ait. 8. que vous ne savez pas. 9. que chacun réponde. 10. qu'elle acceptera. 11. que le feu devienne vert. 12. que ces médicaments n'ont. 13. que nous déménagions. 14. que vous n'ayez pas pu. 15. que cette championne battra. 16. que le plombier doit. 17. que son mari est parti. 18. qu'il ira... 19. que vous ayez perdu... 20. que Virginie soit tombée...

15

1. Tout le monde trouve.
2. Elle croyait...
3. Il est dommage...
4. Est-ce que vous nous annoncez.
5. Ils sont heureux...
6. Quand avez-vous appris ?
7. Ils attendent.
8. Je vois.
9. J'ai peur.
10. Est-ce que tu sais.
11. Il est évident.
12. Je suis désolé.
13. Il est étonnant.
14. Je trouve.
15. Je veux.
16. J'espère...
17. Ils souhaitent...
18. Je lui ai dit...
19. Nous sommes surpris.
20. Il est peu probable.

CHAPITRE 27

L'expression de la cause, du temps, du but, de la conséquence et de l'opposition

1

A

1. Je ne joue plus... parce que j'ai mal au dos.
2. Je ne vous crois pas parce que vous mentez.
3. Il court parce qu'il a peur d'un chien.
4. Je ne veux pas manger parce que je n'ai pas faim.
5. Je ris parce que cette histoire est drôle.

B

1. Je parle fort car vous êtes sourd.
2. Je pleure car mon ami m'a quitté.
3. Je ne veux pas sortir car il fait très froid.
4. Elle mange peu car elle ne veut pas grossir.
5. Nous ne l'achetons pas car elle n'est pas à vendre.

C

1. J'ouvre la fenêtre à cause de la chaleur.
2. Elle est arrêtée à cause d'un accident.
3. Il n'y a pas de lumière à cause d'une panne d'électricité.
4. Je n'ai pas dormi à cause d'un cauchemar.
5. Nous déménageons à cause du bruit.

D

1. Puisque tu ne connais pas ce mot, regarde... 2. Comme il va pleuvoir. 3. Puisque vous êtes libre. 4. Comme j'ai bu trop de café. 5. Puisque tu vas à la poste.

2

A

1. parce que je ne l'ai pas encore acheté. 2. à cause d'un embouteillage. 3. car j'ai un travail fou. 4. parce que je suis bien dedans. 5. car je n'en ai plus. 6. à cause de sa timidité. 7. parce qu'il s'est cassé l'épaule. 8. car il parle trop bas. 9. à cause des grèves. 10. parce qu'elle est très jalouse.

B

1. repose-toi. 2. il est resté au lit. 3. j'irai le voir seul. 4. il ne peut pas acheter de voiture. 5. partez en vacances.

3

1. Elle ne rit jamais car elle est très triste.
2. Ils sont partis très tôt parce qu'ils ont un long voyage à faire.
3. Je ne veux pas sortir à cause de la chaleur.
4. J'arrive tard parce que j'ai raté l'autobus.
5. Puisque je n'avais pas le temps, je ne t'ai pas téléphoné.
6. Je ne dis rien car je n'ai rien à ajouter.
7. Ils ont déménagé à cause de leurs voisins trop bruyants.
8. J'en achète une nouvelle car j'en ai besoin.
9. Je n'y vais pas parce que j'ai acheté beaucoup de choses hier.
10. Il ne veut pas en faire à cause du mauvais temps.

4

1. Je ne partirai pas... parce que je n'ai pas assez d'argent, qu'il fait trop chaud et que tu ne veux pas venir avec moi.
2. Je te conseille... parce qu'il est passionnant, que le héros te ressemble, et que le style en est magnifique.
3. Stéphane se dépêche parce qu'il a peur de rater..., qu'il a un rendez-vous important et qu'il ne veut pas être en retard.

5

A

1. Elle écrit cette lettre car elle répond à une invitation.
2. Il l'a invitée parce qu'elle ne voit pas souvent sa fille.
3. Elle vit chez lui parce que c'est son mari.
4. Elle aimerait bien y aller parce qu'elle adore sa fille et que sa présence l'enchante.
5. Elle n'ira pas la voir à cause de son cactus rose.

6

A

1. Quand je m'ennuie. 2. Quand il y a trop de vent. 3. Quand tu es malade. 4. Quand vous voudrez sortir. 5. Quand elle a voulu payer.

B

1. Lorsque je ne peux pas dormir. 2. Lorsqu'elle ment. 3. Lorsque tu conduis. 4. Lorsque le policier lui a fait signe. 5. Lorsque nous aurons une soirée libre.

C

1. Dès que mon chien voit un chat. 2. Dès que ma mère s'installe. 3. Aussitôt que j'aurai mon permis. 4. Aussitôt que nous avons appris. 5. Dès que vous avez compris.

D

1. Depuis que je porte des lunettes. 2. Depuis que nous vivons ici. 3. Depuis qu'elle travaille. 4. Depuis que tu es malade. 5. Depuis qu'il fait du sport.

E

1. pendant que son mari fait le ménage. 2. pendant que ton frère joue de la flûte. 3. pendant que mon père était à l'hôpital. 4. pendant qu'ils courent dans le jardin. 5. Pendant que vous visiterez la ville.

F

1. Chaque fois que tu manges du sucre. 2. Chaque fois que nous allons. 3. Chaque fois qu'il venait me voir. 4. Chaque fois que le candidat commençait. 5. Chaque fois que vous m'écrirez.

7

1. quand je suis malade.
2. pendant que son mari dort.
3. les villageois rentrent chez eux.
4. chaque fois qu'il chante.
5. je demande une explication.
6. Aussitôt que j'arriverai.
7. Chaque fois qu'il partait.
8. dès que j'aurai le temps.
9. quand je suis très pressé.
10. pendant que je travaille.
11. lorsqu'elle sort.12. Aussitôt qu'il l'a vue.
13. Chaque fois que je viens.
14. lorsqu'il a vu le virage.
15. quand nous aurons déménagé.
16. Dès qu'elle lui écrit, ...
17. pendant que tu te rases.
18. chaque fois qu'il parlait.
19. aide-moi.
20. tu te sentiras mieux.

8

A

1. Depuis qu'il est tombé. 2. Quand Boris a pris son bain. 3. Depuis que je suis arrivé. 4. Aussitôt qu'il a lu un livre. 5. Dès que tu as fini une cigarette.

B

1. Quand il avait bu son lait. 2. dès que nous avions pris. 3. lorsqu'ils avaient passé. 4. quand nous nous étions baignés. 5. Aussitôt que mes parents s'étaient disputés.

C

1. Dès que j'aurai pris ma décision.
2. Quand tu auras fini de téléphoner.
3. Lorsque vous aurez vu ce film.
4. Aussitôt que tu auras obtenu ton visa.
5. Lorsque vous aurez réfléchi.
6. Quand tu auras fumé toutes ces cigarettes.
7. Dès qu'elle aura maigri.
8. Aussitôt que leurs parents seront partis.
9. Lorsqu'il se sera levé.
10. Quand ton mari aura vendu.

9

A

1. Elle prépare le repas avant que son mari (n') arrive. 2. avant qu'ils (ne) sortent. 3. avant que tes parents (ne) rentrent. 4. avant que le rideau (ne) se lève. 5. avant que le train (ne) parte.

B

1. L'enfant pleure jusqu'à ce que sa mère le prenne. 2. jusqu'à ce qu'elle n'ait plus. 3. jusqu'à ce que les gens s'en aillent. 4. jusqu'à ce que tu sois indépendant. 5. jusqu'à ce que tu puisses venir.

10

A

1. Tu dois vendre ton appartement avant d'acheter... 2. avant de te donner ma réponse. 3. avant de se séparer. 4. avant de choisir... 5. avant de s'endormir.

B

1. Après avoir mangé toutes ces cerises. 2. Après avoir repeint ta chambre. 3. Après être rentré chez moi. 4. Après avoir plongé. 5. Après avoir pris un bain.

11

1. après avoir travaillé tard.
2. Avant de partir en Pologne.
3. avant que les boutiques (ne) ferment.
4. jusqu'à ce qu'il arrive.
5. avant de sortir.
6. après avoir terminé tes examens.
7. avant que toute la famille (ne) rentre à la maison.
8. jusqu'à ce que je connaisse le résultat du vote.
9. avant de commencer la partie.
10. Après les avoir rangées.

12

A

1. Les joueurs font des efforts pour que leur équipe gagne. 2. pour que le bébé ne se réveille pas. 3. pour que la cliente soit satisfaite. 4. pour qu'il vienne à ma soirée. 5. pour qu'il fasse plus chaud.

B

1. pour séduire les gens. 2. pour maigrir. 3. pour aller chez le dentiste ? 4. pour acheter un bateau. 5. pour ne pas t'enrhumer.

C

1. pour écrire mon courrier. 2. pour qu'elle (la) comprenne ? 3. pour ne pas arriver en retard. 4. pour garder de nombreux souvenirs. 5. pour que tu finisses plus vite.

13

1. Bien que sa maison soit très jolie, elle ne l'aime pas.
2. Bien qu'elle ait tout pour être heureuse.
3. Bien que vous mangiez beaucoup, vous ne grossissez pas.
4. Bien qu'il prenne souvent l'avion.
5. Bien que cette femme soit remarquable.
6. Bien que tu puisses m'accompagner au cinéma.
7. Bien qu'il dorme beaucoup.
8. Bien que tu connaisses.
9. Bien que je sache où se trouvent.
10. Bien que son studio soit tout petit.

14

1. Bien que nous ayons déjà dîné, nous avons encore faim.
2. Bien qu'il ait longtemps dormi.
3. Bien que je sois déjà allé.
4. Bien que nous soyons tombés.
5. Bien que tu aies compris ton erreur.

15

A

1. Elle est si jolie (tellement jolie) que tous les hommes se retournent quand elle passe.
2. Nous étions si fatigués (tellement fatigués) que...
3. Le T.G.V. va si vite (tellement vite) que...
4. L'avocat parle si bien (tellement bien) qu'il...
5. Cette histoire est si triste (tellement triste) que...

B

1. Nous avons tellement de travail (tant de travail) que nous ne pourrons pas sortir ce soir.
2. Il y a tellement de nuages (tant de nuages) qu'on...
3. J'ai tellement d'amis (tant d'amis) que.
4. Tu as tellement de chance (tant de chance) que...
5. Il y a tellement de bruit (tant de bruit) dehors que...

C

1. Il pleut tant (tellement) que nous sommes tout mouillés.
2. Tu bois tant (tellement) que...
3. Ils s'aiment tant (tellement) qu'ils...
4. Elle rit tant (tellement) qu'elle.
5. Le soleil brille tant (tellement) que...

D

1. J'ai tellement bu (tant bu) que j'ai la tête qui tourne.
2. Nous avons tellement bavardé (tant bavardé) que...
3. Il a tant neigé (tellement neigé) que...
4. Elle a tant pleuré (tellement pleuré) qu'elle...
5. Ils ont tant couru (tellement couru) qu'ils...

16

1. qu'il peut soulever une voiture.
2. que tout le monde la fuit.
3. que personne ne le croit plus jamais.
4. que je suis mince comme un fil.
5. que tu ne peux rien décider maintenant.
6. que nous serons contents de rester un peu tranquilles.
7. que je ne pourrai jamais me l'acheter.
8. que personne n'entend plus rien.
9. que toutes les filles tombent amoureuses de lui.
10. qu'il y en a partout dans la maison.

17

1. pendant que tu te reposes.
2. que c'est difficile de le reconnaître.
3. bien que sa vie soit très dure.
4. pour qu'il vienne réparer la fuite d'eau.
5. parce que je me suis foulé la cheville.
6. dès que tu auras le temps de le faire.
7. Puisque tu ne veux plus me voir, je ne t'inviterai pas.
8. qu'il préfère rester sur son lit sans rien faire.
9. pour s'acheter un beau tableau.
10. jusqu'à ce que sa mère lui donne à manger.

18

Après - après - pour aller - lorsqu'elle (quand elle) arrive — pour que son professeur — jusqu'à ce qu'elle — bien qu'elle soit — car une danseuse — Pendant qu'elle est — Avant de quitter — tant de détails (tellement de) — tant de choses (tellement de) — qu'elle est — Quand elle — si fatiguée (tellement) — qu'elle n'a — pour lui — Depuis qu'elle — Car ce n'est.

CHAPITRE 28

Le conditionnel

1

A

1. Tu serais. 2. Tu choisirais. 3. Nous aurions. 4. Je parlerais. 5. Nous voyagerions. 6. Nous irions. 7. Je ferais. 8. Je mangerais, et je boirais. 9. Je grossirais. 10. Mais je pourrais, tout ce que je voudrais!

B

1. Je serais. 2. Tu serais. 3. Nous aurions. 4. Nous habiterions. 5. Nous inviterions. 6. Catherine vivrait. 7. Elle viendrait. 8. Philippe et Denis nous rendraient visite. 9. Ils nous apporteraient. 10. Nous serions.

2

A

1. J'aimerais, ne voudrais-tu pas. 2. Je voudrais, n'aimeriez-vous pas. 3. J'aimerais, préférerait. 4. nous voudrions, préféreraient. 5. J'aimerais, ne voudriez-vous pas.

3

1. ton fils partirait. 2. les Pasquier ne pourraient pas. 3. tu réussirais. 4. je ne comprendrais jamais rien. 5. qu'elle serait. 6. qu'Eric ne saurait jamais. 7. vous n'iriez plus. 8. qu'ils divorceraient. 9. nous travaillerions. 10. j'achèterais.

4

1. Il y aurait. 2. le prix des loyers augmenterait. 3. ils se marieraient. 4. Trois personnes seraient. 5. le gouvernement enverrait.

5

1. Je voudrais. 2. Est-ce que vous pourriez m'aider ? 3. Prendriez-vous. 4. Est-ce que tu accepterais. 5. aurais-tu.

6

A

1. Tu devrais. 2. Il faudrait. 3. Il vaudrait mieux. 4. Vous devriez, ce serait mieux. 5. je n'irais pas.

B

1. Tu fumes trop. Il faudrait que tu arrêtes de fumer.
2. Tu es très fatigué. Tu devrais te reposer.
3. Tu ne lis pas assez. Tu pourrais lire davantage.
4. Tu regardes trop la télévision. Il vaudrait mieux que tu la regardes moins.
5. Cette cravate ne te va pas, celle-ci t'irait mieux.

7

A

1. J'aurais voulu. 2. J'aurais joué. 3. J'aurais donné. 4. J'aurais eu. 5. On m'aurait applaudi. 6. On aurait parlé. 7. Je serais allé. 8. On m'aurait reçu. 9. Toutes les femmes auraient été. 10. J'aurais été.

8

1. Cet accident aurait causé. 2. il aurait réussi. 3. ils auraient volé. 4. il serait tombé. 5. son mari serait parti...

9

1. qu'elle aurait fait... 2. qu'elle aurait fini... 3. il serait déjà parti. 4. qu'ils seraient déjà rentrés... 5. que je t'aurais remboursé...

10

A

1. Si je mange trop. 2. Si vous m'écrivez. 3. Si tu m'écoutes. 4. Si nous achetons. 5. Si ton chien est méchant.

B

1. Si je rencontrais. 2. Si vous me rendiez. 3. Si tu vivais. 4. Si nous avions. 5. Si Patricia prenait.

C

1. Si j'avais pris. 2. Si vous étiez allés. 3. Si tu étais parti(e). 4. Si Anne avait vu. 5. Si nous avions pu.

11

A

1. Si tu étais.
2. S'il avait fait plus chaud.
3. Si tu viens chez moi.
4. Si vous vouliez.
5. Si tu savais.
6. que feriez-vous ?
7. qu'est-ce que tu lui aurais dit ?
8. qu'est-ce qui se passera ?
9. nous irons.
10. il serait parti.

B

1. notre vie serait plus simple.
2. nous ne nous serions pas perdus.
3. tu te porterais mieux.
4. vous devrez en visiter beaucoup.
5. je réparerais la machine à laver.
6. Si je partais à l'étranger.
7. Si tu m'indiques l'heure de ton arrivée.
8. Si nos voisins étaient bruyants.
9. S'il avait été plus riche.
10. S'il ne vous avait pas donné d'explications précises.

12

A

1. Si je rate mon train, je prendrai le train suivant.
2. Si ma voiture tombe en panne, j'appellerai un garagiste.
3. Si j'ai mal aux dents, j'irai chez le dentiste.
4. Si je ne peux pas dormir, je prendrai un somnifère.
5. Si je suis trop malheureux, tu me consoleras.

B

1. Si un homme la suivait, Laure se mettrait à courir.
2. elle attendrait son retour.
3. elle épouserait Fred.
4. elle en chercherait un autre.
5. elle serait désespérée.

C

1. Si elle n'était pas rentrée à minuit, ses parents auraient téléphoné à tous ses amis.
2. ils auraient été inquiets.
3. ils auraient été très fâchés.
4. ils auraient été surpris.
5. ils auraient refusé de le revoir.

13

A

Je me transformerais, je partirais, je voyagerais, je suivrais. Je m'arrêterais, je me reposerais, je resterais ; j'écouterais, je m'envolerais, je repartirais, je poursuivrais.
Je voudrais.
J'aimerais.

14

1 Si tu épousais Peter, ta vie changerait. Tu quitterais, tu laisserais. Tu irais, tu verrais, tu te ferais, tu mangerais, tu vivrais. Tu aurais, mais tu devrais, tu repasserais. Tu recevrais. Tu ne serais plus.
2 Si tu avais épousé Peter, ta vie aurait changé. Tu aurais quitté, tu aurais laissé. Tu serais allée, tu aurais vu, tu te serais fait, tu aurais mangé, tu aurais vécu. Tu aurais eu, mais tu aurais dû, tu aurais repassé. Tu aurais reçu. Tu n'aurais plus été.

15

B

Benoît a dit que, quand il serait grand, il prendrait..., qu'il irait..., qu'il pourrait conduire, qu'il achèterait tout ce dont il aurait envie, qu'il ferait ce qu'il voudrait, qu'il ne serait plus obligé... . Il a dit aussi qu'il lirait..., qu'il verrait..., qu'il fumerait, qu'il boirait..., qu'il sortirait... . Il a décidé qu'ils iraient... et qu'ils danseraient... . Il a dit enfin qu'il aurait..., qu'il serait indépendant et que ce serait... quand il serait grand!

CHAPITRE 29

La forme passive

1

1. je suis coiffé(e). 2. tu es habillé(e). 3. elle est maquillée. 4. il est soigné. 5. nous sommes reçu(e)s. 6. vous êtes accueilli(e)s. 7. ils sont conduits. 8. elles sont poursuivies. 9. on est souvent interrogé. 10. vous êtes fasciné(e)s.

2

A

1. était réalisé / sera réalisé / a été réalisé.
2. était produite / sera produite / a été produite.
3. était dirigé / sera dirigé / a été dirigé.
4. étaient composées / seront composées / ont été composées.
5. étaient vendus / seront vendus / ont été vendus.

B

1. est organisé.
2. serez accompagné(e)s.
3. n'étions pas intéressés.
4. a été écrite.
5. avait été peint.
6. ont été prises.
7. seront envoyés.
8. avait été promise.
9. n'est pas conduite.
10. vous était offerte.

3

A

1. L'avenir est prédit par Madame Irma.
2. Notre taxi était conduit par une jolie femme.
3. Vous serez reçu(e) (s) par le directeur demain matin.
4. Ce gâteau n'a pas été fait par Francine.
5. Les billets des voyageurs sont contrôlés par l'employé.
6. Le médecin n'avait pas été appelé par la famille.
7. J'ai été consolé par son sourire.
8. L'incendie a été maîtrisé par les pompiers.
9. Les forêts sont détruites par les pluies acides.
10. Les joueurs de l'équipe nationale seront choisis par l'entraîneur.

B

1. La météo prévoit une tempête.
2. Le gros Charles a cassé ma plus belle chaise.
3. Des amis indiens m'ont invité.
4. Un architecte étranger réalisera ce grand projet.
5. Le résultat du match nous a déçus.
6. Les spectateurs enthousiastes applaudissaient les artistes.
7. Dorothée a recueilli un chat abandonné.
8. Le comptable avait fait une erreur de calcul.
8. Un bon avocat la défend.
10. Tout le monde approuvera cette décision.

4

A

1. Avant le départ de l'avion, on contrôle tous les bagages.
2. On a découvert une valise suspecte dans la salle de transit.
3. On a prévenu le pilote.
4. On a annoncé un léger retard aux passagers.
5. Après cet incident, on invite les passagers à monter à bord.

B

1. être caressés. 2. être engagée. 3. être pris.

C

1. Un concert va être donné par Gloria à Montpellier.
2.Les chansons vont être interprétées par la chanteuse
3.Les jeunes vont être enthousiasmés par le spectacle

D

1. Une nouvelle émission vient d'être créée par un réalisateur.
2. L'accord nécessaire vient dêtre donné par le producteur.
3. Les sondages viennent d'être publiés par les journaux

E

1. On a coupé l'électricité pendant une demi-heure.
2. Deux bandits masqués viennent de voler trois tableaux...
3. On met le vin en bouteille au château.
4. Un de mes amis va traduire ce livre.
5. L'entreprise ne pourra pas exécuter les travaux...

5

1. Eve Marceau vient d'être tuée.
2. L'enquête va être menée par le commissaire Leblond.
3. Des témoins sont recherchés par son adjoint.
4. Les voisins et la concierge sont interrogés par M. Leblond.
5. Le nom d'un ami de la victime est donné par la concierge.
6. Un jeune homme bizarre était souvent reçu par la jeune fille.
7. Ce garçon avait été vu dans l'escalier ... par une voisine.
8. ses cris avaient été entendus par les voisins.
9. La cravate verte du jeune homme avait été trouvée dans la poubelle.
10. À votre avis, est-ce que le criminel sera arrêté par le commissaire ?

CHAPITRE 30

Le style indirect

1

A

1. Il dit qu'il y a. 2. Il dit que ce magasin est fermé. 3. Il dit qu'il pleuvra. 4. Il dit que les enfants n'ont rien mangé. 5. Il dit qu'ils ne regarderont pas.

B

1. Elle dit qu'elle va se coucher.
2. Ils disent qu'ils ont acheté.
3. Il dit qu'il ira.
4. Il dit à sa mère qu'il ne lui a pas écrit souvent parce qu'il n'avait pas.
5. Ils disent à leurs amis qu'ils ne les oublieront jamais.

2

A

1. Il demande à Brigitte si elle a passé une bonne soirée.
2. Elle demande à Max s'il viendra... avec elle.
3. Il demande à Brigitte si elle va...
4. Elle demande à ses amis s'ils ont vu...
5. Elle leur demande s'ils iront voir…

B

1. Elle lui demande comment il va, où il vit.
2. pourquoi il ne lui a pas téléphoné.
3. combien de temps il restera, quel temps il fait. 4. qui il voit, à qui il parle, avec qui il passe ses soirées.
5. quand il reviendra.

C

1. Elle lui demande(encore)… ce qu'il fait. 2. ce qu'il lit. 3. ce qu'il écoute. 4. ce qu'il regarde. 5. ce qu'il va visiter.

D

1. Elle lui demande(encore) ce qui l'intéresse. 2. ce qui lui plaît. 3. ce qui est beau, à son avis. 4. ce qui est nouveau pour lui. 5. ce qui est différent.

3

1. Elle lui demande de lui répondre. 2. de lui dire qui est avec lui. 3. de ne pas rester... 4. de réfléchir. 5. de revenir...

4

A

1. Il lui a dit (encore) qu'il lisait. 2. qu'il travaillait. 3. qu'il se promenait. 4. qu'il voyait. 5. qu'il se trouvait bien là-bas.

B

1. Il lui a dit (encore) qu'il était arrivé... le dimanche précédent. 2. que Christian était venu le chercher. 3. qu'ils étaient allés. 4. qu'ils avaient rencontré. 5. qu'ils avaient fini.

C

1. Il lui a dit (encore) qu'il lui téléphonerait le jeudi suivant.
2. ou qu'il lui écrirait pour lui dire l'heure de son arrivée.
3. qu'il lui dirait tout.
4. qu'il lui raconterait ses visites, ses rencontres, ses surprises.
5. qu'il ne repartirait plus.

D

1. Et enfin, il lui a demandé où elle était allée la veille.
2. comment elle avait passé sa journée.
3. ce qu'elle faisait ce jour-là.
4. ce qu'elle ferait le lendemain.
5. si elle l'aimait encore.

5

Nicolas,..., a demandé à son père pourquoi tante Véra avait...

Son père lui a répondu qu'elle attendait...
Nicolas lui a alors demandé comment il était allé dans son ventre.

Son père lui a expliqué que les hommes et les femmes avaient... et que parfois deux petites graines se rencontraient..., que l'une d'elles grossissait et devenait un bébé.
Nicolas lui a demandé s'il pourrait avoir... lui aussi.
Son père lui a répondu que seules les femmes pouvaient...Mais Nicolas lui a fait remarquer qu'oncle Bernard avait... . Et il lui a demandé s'il allait avoir...

Son père lui a dit qu'oncle Bernard avait... parce qu'il avait trop mangé.

Nicolas lui a demandé s'il avait trop mangé...

Son père lui a dit alors d'arrêter, de ne plus lui poser..., d'aller jouer dans sa chambre.
Et il a ajouté qu'il comprendrait... quand il serait un peu plus grand.

6

Marine a écrit à Olivier : "Je passe..., il fait beau, il y a..., bref, tout va bien ici."

Elle lui a dit : "Je suis partie samedi dernier, je suis arrivée... mais, ..., la neige s'est mise... ."

Elle lui a dit encore : "Hier, j'ai skié... et, aujourd'hui, j'ai..." Mais elle a ajouté : "Demain, tout ira bien et je recommencerai..."

Elle lui a expliqué : "J'ai l'intention..., cela ne me fait pas peur."

Elle lui a enfin annoncé :"J'arriverai samedi prochain" et lui a demandé : "Pourras-tu venir me chercher... car j'ai..." et elle a terminé sa lettre en disant : "Ce sera une bonne occasion de se revoir."

NOTES

NOTES

Imprimé en France par I.M.E. - 25-Baume-les-Dames
Dépôt légal n° 5702-11/1991
Collection n° 23 - Edition n° 03
15/4827/0